KB186784

Korea Poemaro Tradukita
(Korea-Esperanto)

LA SILENTO DE LA KARULO por Teranoj
세계인과 함께 읽는 님의 침묵

VERKIS HAN Yong-Un
만해 한용운 지음
TRADUKIS JANG Jeong-Ryeol
장정렬 옮김

『님의 침묵』 (Nime Ĉimmuk, 1926, 회동서관, 서울) <초판본(1925)>

REFERENCO

1. 『님의 침묵』(Nime Ĉimmuk), 한용운 지음, 삼중당, 1983

2. 『님의 침묵의 어휘와 활용구조: 용례사전』(Nime Ĉimmuke Ohũiũa Hũaljongkuĝo: Jongrjesaĝon), 이상섭 지음, 탐구당, 1984

3. 『(만해시)님의 침묵 연구』(Nime Ĉimmuk Jeongu>>, 윤재근 지음, 민족문화사, 1985

4. 『님의 침묵』(Nime Ĉimmuk), 한용운 지음, 전선기 편저, ㈜어문각. 1991, 재판

5. 『(한용운 님의) 님의 침묵』(Nime Ĉimmuk), 한계전 편저, 서울대학교 출판부, 1996

6. 이 시집 『님의 침묵』(Nime Ĉimmuk, 1926, 滙東書館)의 원문 (Korea teksto de la originala 『님의 침묵』(Nime Ĉimmuk)은 황현산(黃鉉産)님의 자료를 참고함.

Korea Poemaro Tradukita
(Korea-Esperanto)

LA SILENTO DE LA KARULO por Teranoj

세계인과 함께 읽는 님의 침묵

VERKIS HAN Yong-Un

만해 한용운 지음

TRADUKIS JANG Jeong-Ryeol

장정렬 옮김

진달래 출판사

La vivo de Manhe Han Yong-Un
(1879. 8.29 ~ 1944. 6.29) kiel patrioto, bonzo, poeto, unu el la pioniroj de korea moderna literaturo

Naskita en la jaro 1879 en Hongsong, Ĉungnam, Koreujo, la poeto interesiĝis en Budhanismo en 1896. Li fariĝis bonzo en la jaro 1905. Manhe estas lia alia nomo kiel budhanisto kaj verkisto. En 1908 li vizitis Japanujon, poste, en 1910 vizitinte Manĉurion kaj Siberion, li revenis Koreujon en 1913, kaj li fariĝis profesoro en Budhanisma Instituto. En 1918 li eldonis monatan ĵurnalon <Juŝim: La Sola Koro>.

En la jaro 1919 li partoprenis en La Movado 3.1 (en la unua de Marto) kiel unu el 33 reprezentantoj de la nacio, pro tio li estis arestita, kaj kondamnita je tri jaroj da mallibero.

En la jaro 1926 li eldonis la poemaron 『님의 침묵』(Nime Ĉimmuk: La Silento De La Karulo). Ekde 1931, li entuziasme verkis multajn eseojn kaj dokumentojn por popularigi la Budhanismon kaj por enspirigi la memstarecon de la nacio el la manoj de japana imperiismo. En la jaro 1935 li havis kontribuon en Tagĵurnalo <Ĉoson> sian unuan romanon <Heuk Pung: Nigra Vento>.

Li mortis en Seulo en jaro 1944.

En la jaro 1962 korea registaro honorigis la poeton post la morto per La Ordeno De La Fondo De Nacio. En la jaro 1973 eldoniĝis 『한용운 전집』(La Tuta Verkaro De Han Yong-Un)(6 volumoj).

1879년 8월 29일 충청남도 홍성(洪城)에서 출생하였다. 서당에서 한학을 배우다가 1896년(건양 1) 설악산 오세암(五歲庵)에 들어갔다. 그 뒤 1905년(광무 9) 인제의 백담사(百潭寺)에 가서 연곡(連谷)을 스승으로 승려가 되고 만화(萬化)에게서 법을 받았다.
1918년 서울 계동(桂洞)에서 월간지 《유심(惟心)》을 발간, 1919년 3·1운동 때 민족대표 33인의 한 사람으로서 독립선언서에 서명, 체포되어 3년형을 선고받고 복역했다. 1926년 시집 《님의 침묵(沈默)》을 출판하여 저항문학에 앞장섰고
1931년 조선불교청년회를 조선불교청년동맹으로 개칭, 불교를 통한 청년운동을 강화하고 이해 월간지 《불교(佛敎)》를 인수, 이후 많은 논문을 발표하여 불교의 대중화와 독립사상 고취에 힘썼다.
1935년 첫 장편소설 《흑풍(黑風)》을 《조선일보》에 연재하였고, 서울 성북동(城北洞)에서 1944년 6월 29일 중풍으로 별세하였다.
1962년 건국훈장 대한민국장(大韓民國章)이 추서되었다.

Letero el novzelando

La unika poemaro, kiu prezentas la veran koron de la koreaj geamantoj

Estimataj gelegantoj,

Mi, kiel okcidentulo, vivante dum kvar jaroj en Koreujo, provis kompreni la amsenton de gekoreoj. Tio estis tre malfacila, ĉar, se ĉe ni, okcidentuloj, io ĝenas iun, tiu ĉi persono provas paroli al alia persono elverŝi siajn sentojn, sed en Koreujo tio enigmis min, ĉar multaj viroj kaj virinoj ne parolemas pri siaj internaj sentoj al iu ajn, eĉ al plej proksima persono; tio estu patrino, patro, frato aŭ amanto.

Ofte mi rigardis koreajn televidajn programerojn, en kiuj mi vidis virinojn ofte plorantaj eĉ je unu vorto, kiu trapas sian koron, aŭ je trista muziko, kiu faras ilin plori. Mi konstatis, ke ili ploras, ĉar iliaj koroj estas plenaj je neesprimeblaj sentoj.

Legante tiun ĉi tradukitan poemaron <La Silento De La Karulo>, mi malkovris, ke ĝi estas la unika poemaro, kiu prezentas la veran koron de la koreaj geamantoj, kiu estis ŝlosita dum jarcentoj. Eĉ mi, kiel okcidentulo, estis kortuŝita de kelkaj poemoj; 'La Vojo Barita', 'Rigardante La Lunon', 'Somernokto Longas', 'Plezuro', 'Mi Deziru Forgesi', ktp.

La verkinto eltiras la koron de geamantoj, kaj metas ĝin sur la tablo, por ke legantoj povu vidi el ĉiu angulo la koron de geamantoj.

Se vi komencas legi tiun ĉi poemaron, mi certigas vin, ke vi ne lasos ĝin ĝis tiam, kiam vi atingos finan paĝon de la poemaro, ĉar ĉiu poemo kondukas la koron de la leganto al unu el la plej doloraj amsentoj.

Emin Baro, el Novzelando

차 례(ENHAVO)

군말

「님」만 님이 아니라 기른 것은 다 님이다 衆生이 釋迦의 님이라면 哲學은 칸트의 님이다 薔薇花의 님이 봄비라면 마찌니의 님은 伊太利다 님은 내가 사랑할 뿐 아니라 나를 사랑하느니라

戀愛가 自由라면 님도 自由일 것이다 그러나 너희는 이름 좋은 自由에 알뜰한 拘束을 받지 않느냐 너에게도 님이 있느냐 있다면 님이 아니라 너의 그림자니라

나는 해저문 벌판에서 돌아가는 길을 잃고 헤매는 어린 羊이 그리워서 이 詩를 쓴다

著 者

ALDONA PAROLO

Ne nur "la karulo" estas karulo, sed ankaŭ ĉiu sopiratâĵo estas karulo. Se popolanoj estas la karuloj de Ŝakamunio[1], la filozofio estas la karulo de Kant[2]. Se la karulo de rozfloro estas printempa pluvo, la karulo de Mazzini[3] estas la lando Italujo. La karulo estas tiu, kiun mi amas,kaj ankaŭ tiu, kiu min amas.

Se enamiĝo estas libero, ankaŭ la karulo estas libero. Sed, ĉu la sincera jugo de belnoma libero ne regas vin, ĉiujn? Ĉu ankaŭ vi havas la karulon? Se tiun vi havas, tiu ne estas karulo, sed via ombro.

Mi verkas tiun ĉi poemaron, ĉar mi kompatas la junan ŝafon, kiu, devojaĝinte, perdis hejmrevenan vojon en sunsubiranta kampo.

---verkinto

(Notoj de tradukinto)

1)*Ŝakamunio (a.k 563 -a.k 483) Iniciatinto de la religio Budhanismo; vera nomo: Siddhartha, Gotama.

2)*Kant,Immanuel(1724 - 1804) Germana filozofo.

3)*Mazzini,Giuseppe(1805-1872) Itala politika gvidanto.

님의 沈默

님은 갔습니다 아아 사랑하는 나의 님은 갔습니다

푸른 산빛을 깨치고 단풍나무숲을 향하여 난 작은 길을 걸어서 차마 떨치고 갔습니다

黃金의 꽃 같이 굳고 빛나던 옛 盟誓는 차디찬 티끌이 되어서 한숨의 微風에 날라갔습니다

날카로운 첫 키스의 追憶은 나의 運命의 指針을 돌려 놓고 뒷걸음쳐서 사라졌습니다

나는 향기로운 님의 말소리에 귀먹고 꽃다운 님의 얼굴에 눈멀었습니다

사랑도 사람의 일이라 만날 때에 미리 떠날 것을 염려하고 경계하지 아니한 것은 아니지만 이별은 뜻밖의 일이 되고 놀란 가슴은 새로운 슬픔에 터집니다

그러나 이별을 쓸데없는 눈물의 源泉으로 만들고 마는 것은 스스로 사랑을 깨치는 것인 줄 아는 까닭에 걷잡을 수 없는 슬픔의 힘을 옮겨서 새 希望의 정수박이에 들어부었습니다

우리는 만날 때에 떠날 것을 염려하는 것과 같이 떠날 때에 다시 만날 것을 믿습니다

아아 님은 갔지마는 나는 님을 보내지 아니하였습니다

제 곡조를 못 이기는 사랑의 노래는 님의 沈默을 휩싸고 돕니다

LA SILENTO DE LA KARULO

Forlasis la karulo. Ha, forlasis mia amata karulo.

Forlasis tamen la karulo, frakasinte bluan montlumon, paŝante sur la vojeto kondukanta al la arbaro da aceroj.

Forflugis firma-brila-malnova ĵuro samkiel orflava floro, fariĝinte malvarmega polvo, pro la venteto de spirĝemo.

Forlasis, retropaŝante, la rememoro de la unua akra kiso, kiu turnis la montrilon de mia sorto.

Surdiĝis mi pro la parolo de mia aroma karulo, blindiĝis mi pro la vizaĝo de mia flora karulo.

Ĉar ankaŭ la amo estas afero de homoj, la eventualan forlason mi zorgis kaj atentis en renkontoj, tamen la forlaso venis kiel la neatendita afero, mia surprizita brusto eksplodas je nova tristo.

Ĉar, sed, mi scias la memkonsciigo de la amo tion, ke forlaso fariĝas fonto de senkonsila larmo, mi transportis la forton de neeltenebla tristo, kaj enverŝis ĝin en la kapkronon de la espero.

Same, ke ni timzorgas forlason en renkontoj, ni kredas refojan renkonton en forlaso.

Ha, forlasis la karulo, tamen mi ne adiaŭis la karulon.

Rondiras la amkanto kun sia nevenkebla melodio, ĉirkaŭ la silenton de la karulo.

이별은 美의 創造

이별은 美의 創造입니다

이별의 美는 아침의 바탕(質)없는 黃金과 밤의 올(絲)없는 검은 비단과 죽음 없는 永遠의 生命과 시들지 않는 하늘의 푸른 꽃에도 없습니다

님이여 이별이 아니면 나는 눈물에서 죽었다가 웃음에서 다시 살아날 수가 없습니다 오오 이별이여

美는 이별의 創造입니다

LA FORLASO ESTAS KREO DE LA BELO

La forlaso estas kreo de la belo.

La belo de forlaso estas ne en matena senmateria flava oro, nek en noktnigra senfadena silko, nek en eterna senmorta vivo, nek en ĉielblua senvelka floro.

Karulo, se ne la forlaso, mi mortus en larmo kaj ne povus revivi el rido. Ho! La forlaso.

La belo estas kreo de la forlaso.

알 수 없어요

바람도 없는 공중에 垂直의 波紋을 내이며 고요히 떨어지는 오동잎은 누구의 발자취입니까

지리한 장마 끝에 서풍에 몰려가는 무서운 검은 구름의 터진 틈으로 언뜻언뜻 보이는 푸른 하늘은 누구의 얼굴입니까

꽃도 없는 깊은 나무에 푸른 이끼를 거쳐서 옛 塔 위의 고요한 하늘을 스치는 알 수 없는 향기는 누구의 입김입니까

근원은 알지도 못할 곳에서 나서 돌뿌리를 울리고 가늘게 흐르는 작은 시내는 구비구비 누구의 노래입니까

연꽃 같은 발꿈치로 가이 없는 바다를 밟고 옥 같은 손으로 끝없는 하늘을 만지면서 떨어지는 날을 곱게 단장하는 저녁놀은 누구의 詩입니까

타고 남은 재가 다시 기름이 됩니다 그칠 줄을 모르고 타는 나의 가슴은 누구의 밤을 지키는 약한 등불입니까

MI NE SCIAS

Kies spuro estas folio sterkulia, falanta trankvile teren farante vertikalan ondumon en senblova aero?

Kies vizaĝo estas ĉielo blua, videbla momente el fendetoj eksploditaj de timiga nigra nubo, pelata de okcidenta vento en la fino de longa pluvsezono?

Kies spirito estas aromo nekonata, tragrimpanta verdan muskon, preterpaŝanta trankvilan ĉielon super malnova pagodo sen floro de profunda arbo?

Kies kanteto estas rivero nelarĝa, faranta la fluon serpentume faranta ĉe ŝtonetoj la sonon, elirante sen scio de la deveno de la fonto?

Kies poemo estas krepusko vespera, jen paŝanta senfinan maron per kalkanoj samkiel lotusfloroj, jen tuŝanta la senfinan ĉielon per la manoj samtiel kiel perloj, jen beliganta falan tagon?

La post-brule lasita cindro refariĝas al oleo. Kies olelampo noktgarda malforta estas mia senĉese brulanta brusto?

나는 잊고저

남들은 님을 생각한다지만
나는 님을 잊고저 하여요
잊고저 할수록 생각히기로
행여 잊힐가 하고 생각하여 보았습니다

잊으려면 생각히고
생각하면 잊히지 아니하니
잊도 말고 생각도 말아 볼까요
잊든지 생각든지 내버려두어 볼까요
그러나 그리도 아니 되고
끊임없는 생각생각에 님뿐인데 어찌하여요

구태여 잊으려면
잊을 수가 없는 것은 아니지만
잠과 죽음뿐이기로
님 두고는 못하여요

아아 잊히지 않는 생각보다
잊고저 하는 그것이 더욱 괴롭습니다

MI DEZIRU FORGESI

Aliuloj deziras pripensi la karulon,
tamen mi deziru forgesi la karulon.
Ju pli deziras mi forgesi, des pli ekpensiĝas,
tial, mi provis, ĉu eblas hazarde forgesi?

Jen tiu jam ekpensiĝas se deziras mi forgesi,
jen tiu ne forgesiĝas se deziras mi pripensi,
Ĉu nek pripensi, nek forgesi mi provu?
Ĉu jen pripensi, jen forgesi mi min lasu?
Sed tio neniel eblas, plie senĉesa pripenso celas nur la karulon, kiel mi faru?

Se, malgraŭe, nur dezirus mi forgesi,
malforgeson mi ne povas fari,
tio nur egalas je provizora morto,
forlason de karulo mi ne povas fari.

Ha, ne pro la penso neforgesebla,
sed pro la penso forgesdezira mi tristas pli.

가지 마셔요

그것은 어머니의 가슴에 머리를 숙이고 자기자기한 사랑을 받으려고 삐죽거리는 입술로 表情하는 어여쁜 아기를 싸안으려는 사랑의 날개가 아니라 敵의 旗발입니다

그것은 慈悲의 白毫光明이 아니라 번뜩거리는 惡魔의 눈빛입니다

그것은 冕旒冠과 黃金의 누리와 죽음과를 본 체도 아니하고 몸과 마음을 돌돌 뭉쳐서 사랑의 바다에 퐁당 넣으려는 사랑의 女神이 아니라 칼의 웃음입니다

아아 님이여 慰安에 목마른 나의 님이여 걸음을 돌리셔요 거기를 가지 마셔요 나는 싫어요

大地의 音樂은 無窮花 그늘에 잠들었습니다

光明의 꿈은 검은 바다에서 자맥질합니다

무서운 沈默은 萬像의 속살거림에 서슬이 푸른 敎訓을 내리고 있습니다

아아 님이여 새 生命의 꽃에 醉하려는 나의 님이여 걸음을 돌리셔요 거기를 가지 마셔요 나는 싫어요

거룩한 天使의 洗禮를 받은 純潔한 靑春을 똑 따서 그 속에 自己의 生命을 넣어서 그것을 사랑의 祭壇에 祭物로 드리는 어여쁜 處女가 어디 있어요

달콤하고 맑은 향기를 꿀벌에게 주고 다른 꿀벌에게 주지 않는 이상한 百合꽃이 어디 있어요

自身의 全體를 죽음의 靑山에 장사 지내고 흐르는

빛으로 밤을 두 조각에 베히는 반딧불이 어디 있어요
　아아 님이여 情에 殉死하려는 나의 님이여 걸음을 돌리셔요 거기를 가지 마셔요 나는 싫어요

　그 나라에는 虛空이 없습니다
　그 나라에는 그림자 없는 사람들이 戰爭을 하고 있습니다
　그 나라에는 宇宙萬像의 모든 生命의 쇳대를 가지고 尺度를 超越한 森嚴한 軌律로 進行하는 偉大한 時間이 停止되었습니다
　아아 님이여 죽음을 芳香이라고 하는 나의 님이여 걸음을 돌리셔요 거기를 가지 마셔요 나는 싫어요

NE FORIRU

Ne flugilo de la amo, per kiu la patrino deziras ĉirkaŭpreni belan bebon, kiu enmetas sian kapon en la bruston de la patrino, kaj esprimas per siaj paŭtaj lipoj por petegi dolĉan amon de la patrino, sed la flago de malamiko tio estas.

Ne budhofigura lumego de korfavoro, sed la flagreta okullumo de demono tio estas.

Ne la diino de la amo, ke ŝi, pretendinte nevidanta la kronon, la mondon de oro kaj morton, firme kunigante sian korpon kaj animon, volas droni sin en la maro de amo, sed la rido de la glavo tio estas.

Ha, karulo! Mia konsolsoifa karulo! Turnu viajn piedojn. Ne iru tien. Mi ne ŝatas.

Muziko de la tero jam dormis en la ombro de hibisko.

La sonĝo de lumego naĝas en la nigro de la maro.

La timiga silento donas bluegan altspiritan instruon al flustro de ĉiu vivaĵo.

Ha, karulo! Mia ebrisopira karulo en novan vivfloron! Turnu viajn piedojn, karulo. Ne iru tien. Mi ne ŝatas.

Kie estas la bela virgino, kiu omaĝas al altaro de amo junecon, en kiun ŝi enmetas sian vivon, forpreninte decide la puran junecon baptita de sankta anĝelo?

Kie estas la stranga lilifloro, kiu donas nur al tiu abelo dolĉan kaj puran aromon, ne donante tion al aliaj abeloj?

Kie estas la lumo de lampiro, kiu funebras sian tutan korpon en la blumonto, tranĉduonigante per fluanta lumo la nokton?

Ha, karulo! La karulo sanktmortonta por la sento! Turnu viajn piedojn, kaj ne iru tien. Mi ne ŝatas.

En tiu lando malestas vanteco.

En tiu lando militas senombraj homoj.

En tiu lando haltas la granda tempo, kiu, havante la ŝlosilon de universalaj ĉiuj estaĵoj, progresas laŭ la supermezuran kaj severgardan relleĝon.

Ha, karulo! La karulo opinianta morton aromo! Turnu viajn piedojn, kaj ne iru tien. Mi ne ŝatas.

고적한 밤

하늘에는 달이 없고 땅에는 바람이 없습니다
사람들은 소리가 없고 나는 마음이 없습니다

宇宙는 죽음인가요
人生은 잠인가요

한 가닥은 눈썹에 걸치고 한 가닥은 작은 별에 걸쳤던 님 생각의 金실은 살살살 걷힙니다
한 손에는 黃金의 칼을 들고 한 손으로 天國의 꽃을 꺾던 幻想의 女王도 그림자를 감추었습니다
아아 님 생각의 金실과 幻想의 女王이 두 손을 마주 잡고 눈물의 속에서 情死한 줄이야 누가 알아요

宇宙는 죽음인가요
人生은 눈물인가요
人生이 눈물이면
죽음은 사랑인가요

SOLECA NOKTO

En ĉielo ne troviĝas la luno, en la tero ne troviĝas la vento.

En la homoj ne troviĝas la sono, en la mio ne troviĝas la koro.

Ĉu universo estas morto?
Ĉu homvivo estas dormo?

Glate malkovriĝas la orfadenoj de la penso de la karulo, el kiuj unu fadenaro pendis en la brovoj, kaj la alia pendis en malgranda stelo.

Kaŝas sian ombron ankaŭ la reĝino de fantazio, kiu per unu mano portas la glavon, kaj per alia mano tranĉas la floron de la paradizo.

Ha, kiu scias, ke la orfadeno de la karulpenso kaj la reĝino de fantazio, kaptante du manojn en aliaj manoj kaj, kun ploro, mortis por amo?

Ĉu universo estas morto?
Ĉu homvivo estas larmo?
Se homvivo estas larmo,
ĉu hommorto estas l'amo?

나의 길

이 세상에는 길도 많기도 합니다

산에는 돌길이 있습니다 바다에는 뱃길이 있습니다 공중에는 달과 별의 길이 있습니다

강가에서 낚시질하는 사람은 모래 위에 발자취를 내입이다 들에서 나물 캐는 女子는 芳草를 밟습니다

악한 사람은 죄의 길을 쫓아갑니다

義 있는 사람은 옳은 일을 위하여는 칼날을 밟습니다

서산에 지는 해는 붉은 놀을 밟습니다

봄 아침의 맑은 이슬은 꽃머리에서 미끄럼탑니다

그러나 나의 길은 이 세상에 둘밖에 없습니다

하나는 님의 품에 안기는 길입니다

그렇지 아니하면 죽음의 품에 안기는 길입니다

그것은 만일 님의 품에 안기지 못하면 다른 길은 죽음의 길보다 험하고 괴로운 까닭입니다

아아 나의 길은 누가 내었습니까

아아 이 세상에는 님이 아니고는 나의 길을 내일 수가 없습니다

그런데 나의 길을 님이 내었으면 죽음의 길은 왜 내셨을까요

MIA VOJO

En la mondo ankaŭ troviĝas multaj la vojoj. En la monto troviĝas ŝtonaj la vojoj. En la maro troviĝas ŝipaj la vojoj. En la aero troviĝas lunaj, stelaj vojoj.

Fiŝkaptanto faras paŝojn sur la sablaro ĉe la riverbordo.

Verdaĵorikoltanta virino surtretas la aromherbon en la kamparo.

La malfortulo sekviras la vojon de la peko.

La justagulo surtretas glavoborderon por justeco.

La subeniranta suno en okcidenta monto surtretas vesperan krepuskon.

La klara roso de printempa mateno glate iras de florkapo.

Sed, mi nur havas du unikajn vojojn en tiu ĉi mondo:

La unua estas la vojo brakumita min en brusto de la karulo.

La alia, se ne, estas la vojo brakumita min en brusto de la morto.

Ĉar, se mi ne brakumiĝus en brusto de la karulo, sola alternativo estas pli malfacila kaj sufera, ol la vojo de morto.

Ha! Kiu faris mian vojon?

Ha! Neniu povas fari tion en la mondo, krom la karulo.

Se la karulo faris mian vojon, kial li ankaŭ faris por mi la vojon de morto?

꿈 깨고서

님이면은 나를 사랑하련마는 밤마다 문밖에 와서 발자취소리만 내이고 한번도 들어오지 아니하고 도로 가니 그것이 사랑인가요

그러나 나는 발자취나마 님의 문밖에 가본 적이 없습니다

아마 사랑은 님에게만 있나봐요

아아 발자취소리나 아니더면 꿈이나 아니깨었으련마는
꿈은 님을 찾아가려고 구름을 탔었어요

VEKIĜINTE EL LA SONĜO

Se mia karulo li estus, li amus min, sed en ĉiu nokto li, paŝas nur sone, ĝis ekster mia pordo, envenante neniam, kaj poste li retroforiras, ĉu tio estas amo?

Sed mi, eĉ per miaj paŝoj, neniam iris ĝis ekster la pordo de la karulo.

Eble la amon havus nur la karulo.

Ha, estus pli bone, se je liaj paŝoj mi ne vekiĝus el la sonĝo, ĉar jam estis mia sonĝo, ke mi por renkonti la karulon estis rajdanta sur la nubon.

藝術家

나는 서투른 畵家여요

잠 아니 오는 잠자리에 누워서 손가락을 가슴에 대고 당신의 코와 입과 두 볼에 새암 파지는 것까지 그렸습니다

그러나 언제든지 작은 웃음이 떠도는 당신의 눈자위는 그리다가 백번이나 지웠습니다

나는 파겁 못한 聲樂家여요

이웃 사람도 돌아가고 버러지 소리도 그쳤는데 당신의 가르쳐 주시던 노래를 부르려다가 조는 고양이가 부끄러워서 부르지 못하였습니다

그래서 가는 바람이 문풍지를 스칠 때에 가만히 合唱하였습니다

나는 敍情詩人이 되기에는 너무도 素質이 없나봐요

「즐거움」이니 「슬픔」이니 「사랑」이니 그런 것은 쓰기 싫어요

당신의 얼굴과 소리와 걸음거리와를 그대로 쓰고 싶습니다

그리고 당신의 집과 寢臺와 꽃밭에 있는 작은 돌도 쓰겠습니다

ARTISTO

Estas mi mallerta pentristo.

Pentris mi kaj vian nazon kaj buŝon kaj eĉ fontetojn de du vangoj, sendorme kuŝinte en dormejo, metinte fingrojn sur la bruston.

Provpentris mi, sed, la franĝojn de viaj okuloj, ĉe kiuj ĉiam naĝas rideto, kaj poste mi forigis centfoje ilin.

Estas mi mallerta voĉmuzikisto.

Jam forrevenis najbaroj, ĉesis la ĉirpo de insektoj, kaj mi provkantis la kanton, kiun vi instruis, tamen mi ne kantis pro hontemo, vidante dormetantan katon.

Tial vento preterpaŝis mian fenestropaperon, nur tiam mi silente kunkantis.

Estas mi tro mallerta por esti lirika poeto.

Volas mi ne priskribi tiajn; ekzemple, ĝojo, tristo, amo.

Volas mi priskribi nature viajn vizaĝon kaj sonon kaj piedpaŝon.

Tial mi ankaŭ priskribos viajn domon, liton kaj ŝtonetojn en via florĝardeno.

이별

아아 사람은 약한 것이다 여린 것이다 간사한 것이다
이 세상에는 진정한 사랑의 이별은 있을 수가 없는 것이다
죽음으로 사랑을 바꾸는 님과 님에게야 무슨 이별이 있으랴
이별의 눈물은 물거품의 꽃이요 鍍金한 金방울이다

칼로 베힌 이별의 키스가 어디 있느냐
生命의 꽃으로 빚은 이별의 杜鵑酒가 어디 있느냐
피의 紅寶石으로 만든 이별의 紀念반지가 어디 있느냐
이별의 눈물은 咀呪의 摩尼珠요 거짓의 水晶이다

사랑의 이별은 이별의 反面에 반드시 이별하는 사랑보다 더 큰 사랑이 있는 것이다
혹은 直接의 사랑은 아닐지라도 間接의 사랑이라도 있는 것이다
다시 말하면 이별하는 愛人보다 自己를 더 사랑하는 것이다
만일 愛人을 自己의 生命보다 더 사랑하면 無窮을 回轉하는 時間의 수레바퀴에 이끼가 끼도록 사랑의 이별은 없는 것이다

아니다 아니다 「참」보다도 참인 님의 사랑엔 죽음보다도 이별이 훨씬 偉大하다
죽음이 한 방울의 찬 이슬이라면 이별은 일천 줄기

의 꽃비다

죽음이 밝은 별이라면 이별은 거룩한 太陽이다

生命보다 사랑하는 愛人을 사랑하기 위해서는 죽을 수가 없는 것이다

진정한 사랑을 위해서는 괴롭게 사는 것이 죽음보다도 더 큰 犧牲이다

이별은 사랑을 위하여 죽지 못하는 가장 큰 苦痛이요 報恩이다

愛人은 이별보다 愛人의 죽음을 더 슬퍼하는 까닭이다

사랑은 붉은 촛불이나 푸른 술에만 있는 것이 아니라 먼 마음을 서로 비치는 無形에도 있는 까닭이다

그러므로 사랑하는 愛人을 죽음에서 잊지 못하고 이별에서 생각하는 것이다

그러므로 사랑하는 愛人을 죽음에서 웃지 못하고 이별에서 우는 것이다

그러므로 愛人을 위하여는 이별의 怨恨을 죽음의 愉快로 갚지 못하고 슬픔의 苦痛으로 참는 것이다

그러므로 사랑은 차마 죽지 못하고 차마 이별하는 사랑보다 더 큰 사랑은 없는 것이다

그리고 진정한 사랑은 곳이 없다

진정한 사랑은 愛人의 抱擁만 사랑할 뿐 아니라 愛人의 이별도 사랑하는 것이다

그리고 진정한 사랑은 때가 없다

진정한 사랑은 間斷이 없어서 이별은 愛人의 肉뿐이요 사랑은 無窮이다

아아 진정한 愛人을 사랑함에는 죽음은 칼을 주는 것이요 이별은 꽃을 주는 것이다

아아 이별의 눈물은 眞이요 善이요 美다

아아 이별의 눈물은 釋迦요 모세요 잔다르크다

LA FORLASO

Ha! Malfortaj, fragilaj kaj ruzaj estas homoj.

En tiu ĉi mondo ne ekzistas forlaso de vera amo.

Kiu forlaso troviĝas inter karulo kaj karulino, kiuj ŝanĝas la amon per morto?

Larmo de forlaso estas jen floro de akvoŝaŭmo, jen la ortintilo ornamita je oro.

Kie troviĝas la forlasa kiso tranĉita je glavo?

Kie troviĝas azalea vino elfarita el floro de vivo?

Kie troviĝas la forlasa memor-ringo farita el ruĝa juvelo de sango?

Larmo de forlaso estas jen magia globo de malbeno, jen kristalo de mensogo.

En forlaso de amo, en alia flanko de forlaso, nepre ekzistas pli granda amo, ol forlasata amo.

Aŭ en ĝi troveblas malrekta amo, eĉ se estas ne rekta amo.

Alivorte, en ĝi oni amas sin pli ol forlasantan amaton.

Se iu amas sian amaton pli ol sian vivon, neniel ekzistas forlaso de amo tiom, ke musko vivkovras en ĉarradoj de la tempo, kiu rondiras je senfino.

Ne, ne. En la amo de la karulo, kio estas pli vera ol la vero, forlaso estas multe pli granda ol la morto.

Se la morto estas unu guto da malvarma roso, forlaso estas mil strioj da florpluvo.

Se la morto estas brila stelo, la forlaso estas honora suno.

Por ami sian amaton, kiun oni amas pli ol sian vivon, oni ne povas morti.

Por vera amo, suferata vivo estas pli granda ofero ol la morto.

La forlaso estas jen pleja doloro, jen pleja kompenco, kiun oni ne povas morti por amo.

Ĉar la amatino tristas sin pli je la morto de la amato, ol je la forlaso de la amato.

Ĉar la amo ekzistas ne nur en ruĝa kandelfajro aŭ en blua vino, sed ankaŭ en senformo, kiu travidigas unu de la alia malproksimajn korojn.

Tial, la karan amaton oni ne povas forgesi en la morto, sed tiun oni pripensas en forlaso.

Tial, la karan amaton oni ne povas ridi

en la morto, sed tiun oni priploras en forlaso.

Tial, por la amato, la suferon de la tristo oni eltenas, ne repagante la venĝon de forlaso per la ĝojo de morto.

Tial, ne ekzistas pli granda amo ol la amo, kiu ne povas libervole morti, sed esti libervole forlasanta.

Kaj la vera amo ne havas sian lokon.

La amvero amas ne nur brakumon de la amato, sed ankaŭ la forlason de amato.

Kaj la vera amo ne havas sian tempon.

Ĉar la amvero ne havas sian interrompon, la forlaso estas nur por la korpo de la amato, la amo estas senfino.

Ha! En la vera amo al la amato, la morto estas dono de glavo, forlaso estas dono de floro.

Ha, la larmo de forlaso estas kaj vero kaj bono kaj belo.

Ha, la larmo de forlaso estas ja Ŝakamunio, ja Moseo[4] kaj ja Jeanre d'Ak.[5]

---

4) *Moseo: Izraela religia gvidanto, popola heroo

5) *Jeanre d'Ak:(1412 -1431) Franca heroino, kiu savis sian nacion el la Centjara Milito kontraŭ Anglujo en la 15a jarcento

길이 막혀

당신의 얼굴은 달도 아니언만
산 넘고 물 넘어 나의 마음을 비칩니다

나의 손길은 왜 그리 짧아서
눈 앞에 보이는 당신의 가슴을 못 만지나요

당신이 오기로 못올 것이 무엇이며
내가 가기로 못갈 것이 없지마는
산에는 사다리가 없고
물에는 배가 없어요

뉘라서 사다리를 떼고 배를 깨뜨렸습니까
나는 보석으로 사다리 놓고 진주로 배 모아요
오 싫어도 길이 막혀서 못 오시는 당신이 그리워요

LA VOJO BARITA

Eĉ se via vizaĝo ne estas la luno,
prilumas ĝi mian koron trans montoj trans riveroj.

Kial miaj manoj estas tiel mallongaj,
ke mi ne povas tuŝeti vian bruston antaŭ miaj okuloj?

Vi ne havas kialon ne veni, se vi volus veni,
mi ne havas kaŭzon ne iri, se mi volus iri,
Sur la monto ne estas ŝtuparo,
en la akvo ne estas boato.

Kiu formetis la ŝtuparon kaj dispecigis la boaton?
Mi konstruas la ŝtuparon per juveloj kaj kolektas la boaton per perloj.
Kompatinde, ke vi ne povas veni pro la barita vojo, eĉ se vi volas veni.

自由貞操

내가 당신을 기다리고 있는 것은 기다리고자 하는 것이 아니라 기다려지는 것입니다

말하자면 당신을 기다리는 것은 貞操보다도 사랑입니다

남들은 나더러 時代에 뒤진 낡은 女性이라고 삐죽거립니다 區區한 貞操를 지킨다고

그러나 나는 時代性을 理解하지 못하는 것도 아닙니다

人生과 貞操의 深刻한 批判을 하여 보기도 한두 번이 아닙니다

自由戀愛의 神聖(?)을 덮어놓고 否定하는 것도 아닙니다

大自然을 따라서 超然生活을 할 생각도 하여 보았습니다

그러나 究境, 萬事가 다 저의 좋아하는 대로 말한 것이요 행한 것입니다

나는 님을 기다리면서 괴로움을 먹고 살이 찝니다 어려움을 입고 키가 큽니다

나의 貞操는 「自由貞操」입니다

LIBERA VIRGECO

Tio, ke mi vin atendas, ne estas atendodeziro, sed atendiĝo.

Tio, ke mi vin atendas, ne estas virgeco, sed amo.

Aliuloj paŭtas, ke mi estas malmoderna malnova virino, ĉar mi konservas la bagatelan virgecon.

Sed mi ankaŭ ne estas malkomprenema al nuntempo.

Mi faris multe severan kritikon de la vivo kaj de virgeco.

Mi ne neas senkiale la sanktecon(?) de libera amo.

Mi pensis, ĉu mi vivu specialan vivon laŭ granda naturo.

Sed fine, ĉiu afero estas kaj diraĵo kaj faraĵo laŭ nur mia ŝato.

Mi, atendante la karulon, manĝas triston kaj fariĝas grasa.

Mi vestas min per malfacilo kaj kreskas.

Mia virgeco estas libera virgeco.

나룻배와 行人

나는 나룻배
당신은 行人

당신은 흙발로 나를 짓밟습니다
나는 당신을 안고 물을 건너갑니다
나는 당신을 안으면 깊으나 옅으나 급한 여울이나 건너갑니다

만일 당신이 아니 오시면 나는 바람을 쐬고 눈비를 맞으며 밤에서 낮까지 당신을 기다리고 있습니다
당신은 물만 건너면 나를 돌아보지도 않고 가십니다 그려
그러나 당신이 언제든지 오실 줄만은 알아요
나는 당신을 기다리면서 날마다날마다 낡아갑니다

나는 나룻배
당신은 行人

BOATO DE RIVERO KAJ MIA PASAĜERO

Mi estas boato de rivero.
Vi estas mia pasaĝero.

Vi min tretas per piedoj kun terpecetoj.
Mi, vin brakumanta, vojaĝas sur riverakvo.
Mi, kiam vin mi brakumas, vojaĝas la kurentojn; ĉu profundan, ĉu malprofundan, ĉu rapidegan.

Mi, kiam vi ne venas, vin atendas de nokto ĝis tago en la veteroj; ĉu ventblovita, ĉu neĝpluvita.
Vi, post vojaĝo de rivero, forlasas min eĉ ne retrorigardante min.
Mi, tamen scias nur, ke vi ĉiam venos.
Mi, atendante vin, fariĝas malnova tagon post tago.

Mi estas boato de rivero.
Vi estas mia pasaĝero.

차라리

님이여 오셔요 오시지 아니하려면 차라리 가셔요. 가려다 오고 오려다 가는 것은 나에게 목숨을 빼앗고 죽음도 주지 않는 것입니다

님이여 나를 책망하려거든 차라리 큰 소리로 말씀하여 주셔요 沈默으로 책망하지 말고 沈默으로 책망하는 것은 아픈 마음을 얼음 바늘로 찌르는 것입니다

님이여 나를 아니 보려거든 차라리 눈을 돌려서 감으셔요 흐르는 곁눈으로 흘겨보지 마셔요 곁눈으로 흘겨보는 것은 사랑의 보(褓)에 가시의 선물을 싸서 주는 것입니다

LIBERVOLE

Karulo, bonvole venu. Se vi ne venus, libervole vi iru.

Tio, ke vi iras dum vi intencas veni, kaj vi venas dum vi intencas iri, egalas al mi, ke vi forprenas de mi vivon kaj eĉ ne donas al mi morton.

Karulo, bonvole parolu libervole al mi en via laŭta voĉo, se vi riproĉos min. Ne riproĉu min per silento. La riproĉo per silento egalas al mi, ke vi pikas mian malsanan koron per glacia kudrilo.

Karulo, bonvole fermu libervole al mi viajn okulojn, se vi ne rigardos min. Ne rigardu akre per flanka rigardoĵeto. La flanka rigardoĵeto egalas al mi, ke vi donacas al mi pikaĵojn en la tukkovrilon de la amo.

나의 노래

나의 노랫가락의 고저장단은 대중이 없습니다
그래서 세속의 노래 곡조와는 조금도 맞지 않습니다
그러나 나는 나의 노래가 세속 곡조에 맞지 않는 것을 조금도 애달파하지 않습니다
나의 노래는 세속의 노래와 다르지 아니하면 아니되는 까닭입니다
곡조는 노래의 缺陷을 억지로 調節하려는 것입니다
곡조는 不自然한 노래를 사람의 妄想으로 토막쳐 놓는 것입니다
참된 노래에 곡조를 붙이는 것은 노래의 自然에 恥辱입니다
님의 얼굴에 단장을 하는 것이 도리어 흠이 되는 것과 같이 나의 노래에 곡조를 붙이면 도리어 缺點이 됩니다

나의 노래는 사랑의 神을 울립니다
나의 노래는 處女의 靑春을 쥡짜서 보기도 어려운 맑은 물을 만듭니다
나의 노래는 님의 귀에 들어가서 天國의 音樂이 되고 님의 꿈에 들어가서는 눈물이 됩니다

나의 노래가 산과 들을 지나서 멀리 계신 님에게 들리는 줄을 나는 압니다
나의 노랫가락이 바르르 떨다가 소리를 어르지 못할 때에 나의 노래가 님의 눈물겨운 고요한幻想으로 들어

가서 사라지는 것을 나는 분명히 압니다
　나는 나의 노래가 님에게 들리는 것을 생각할 때에 光榮에 넘치는 나의 작은 가슴은 발발발 떨면서 沈默의 音譜를 그립니다

MIA KANTO

Ne troviĝas la normo de la alta-malalta-longa-mallonga melodio en mia kanto.

Tial la kanto kongruas neniel kun la melodio de la moro de mondo.

Sed neniom mi tristas, ke mia kanto ne kongruas kun la mondmora melodio.

Ĉar, tio estas kialo, ke mia kanto ne devas ne esti kongruata kun la mondmora.

La melodio devige kontrolas la mankon de la kanto.

La melodio distranĉas per la vana penso de homo malliberan kanton.

La melodiigo al vera kanto estas malhonorigo al naturo de kanto.

Same, kiel ornamigo de la vizaĝo de la karulo male fariĝas manko, la melodiigo al mia kanto male fariĝas manko.

Mia kanto faras la dion de la amo plori.

Mia kanto faras la akvon pura kaj nekomparebla kun tio el la tordata juneco de virgino.

Mia kanto, enirinte en orelojn de la karulo, fariĝas la muziko de paradizo, kaj enirinte en la sonĝon de la karulo, fariĝas larmo.

Mi scias, ke mian kanton aŭdas la karulo, kiu loĝas malproksime trans la montoj kaj kampoj.

Mi scias, ke kiam mia melodio ektremas brr- kaj tamen eventuale ne faras sonon, tiam mia kanto, enirinte en larmigan trankvilan fantazion de la karulo, malaperas.

Mi pentras la muziknotojn de la silento, kun f-r-o-s-t-a tremo de mia superhonorigita brusteto, kiam mi pensas, ke mian kanton aŭdas la karulo.

당신이 아니더면

당신이 아니더면 포시랍고 매끄럽던 얼굴이 왜 주름살이 접혀요
당신이 그립지만 않다면 언제까지라도 나는 늙지 아니할 테여요
맨처음에 당신에게 안기던 그때대로 있을 테여요

그러나 늙고 병들고 죽기까지라도 당신 때문이라면 나는 싫지 않아요
나에게 생명을 주던지 죽음을 주던지 당신의 뜻대로만 하셔요
나는 곧 당신이여요

SE VI NE ESTUS

Se vi ne estus, kial bonfara kaj glata vizaĝo sulkiĝus?

Se vi ne estus kompatata, eterne mi ne maljuniĝu.

Mi estu tia, kia mi en la komenco brakumis vin.

Tamen, mi ne malŝatas, ke, vi kaŭzas, ke mi jen maljuniĝus, jen malsaniĝus, jen eĉ mortus.

Faru nur laŭ via volo, ĉu vi donus al mi aŭ vivon aŭ morton?

Mi estas ĝuste vi.

잠 없는 꿈

나는 어느날 밤에 잠 없는 꿈을 꾸었습니다

「나의 님은 어디 있어요 나는 님을 보려 가겠습니다 님에게 가는 길을 가져다가 나에게 주셔요 검이여」

「너의 가려는 길은 너의 님의 오려는 길이다 그 길을 가져다 너에게 주면 너의 님은 올 수가 없다」

「내가 가기 만하면 님은 아니 와도 관계가 없습니다」

「너의 님의 오려는 길을 너에게 갖다주면 너의 님은 다른 길로 오게 된다 네가 간대도 너의 님을 만날 수가 없다」

「그러면 그 길을 가져다가 나의 님에게 주셔요」

「너의 님에게 주는 것이 너에게 주는 것과 같다 사람마다 저의 길이 각각 있는 것이다」

「그러면 어찌하여야 이별한 님을 만나보겠습니까」

「네가 너를 가져다가 너의 가려는 길에 주어라 그리하고 쉬지 말고 가거라」

「그리 할 마음은 있지마는 그 길에는 고개도 많고 물도 많습니다 갈 수가 없습니다」

검은 「그러면 너의 님을 너의 가슴에 안겨주마」하고 나의 님을 나에게 안겨주었습니다

나는 나의 님을 힘껏 껴안았습니다

나의 팔이 나의 가슴을 아프도록 다칠 때에 나의 두 팔에 베혀진 虛空은 나의 팔을 뒤로 두고 이어졌습니다

LA SONĜO SEN DORMO

Mi en iu nokto havis sonĝon sen dormo:

"Kie estas mia karulo? Mi iru renkonti vin. Karulo, prenu kaj montru al mi la vojon iranta al vi."

"La vojo, kiun vi celas iri estas tiu vojo, sur kiu via karulo celas veni. Se mi prenas kaj montras al vi tiun vojon, via karulo ne povas veni."

"Se mi nur iras laŭ tiu vojo, ne gravas, ĉu la karulo venu aŭ ne?"

"Se mi prenas al vi la vojon, sur kiu via karulo celas veni, via karulo venas sur alia vojo. Se vi iros, vi ne povos renkonti vian karulon."

"Se tia, bonvole prenu kaj montru al mia karulo tiun vojon."

"La dono al via karulo egalas al tiu dono al vi. Ĉiu homo havas sian vojon, respektive."

"Do, kiel mi povos renkonti la forlasitan karulon?"

"Vi mem prenu kaj montru vin sur la vojo, sur kiu vi celas iri. Kaj iru sen ripozo sur la vojo."

"Mi havas saman ideon kun vi, sed sur tiu vojo tro multas la montpintoj kaj riverakvoj. Mi ne povas iri."

Tiam la sonĝo diras: "Se tia, mi prenu kaj montru vian karulon en via brusto."

Kaj poste la sonĝo faris min brakumi mian karulon.

Mi forte brakumis mian karulon.

Pli vastiĝis, lasante miajn brakojn malantaŭe, la vanta spaco malplenigita inter miaj du brakoj, kiam miaj brakoj vundigas mian bruston tiel dolorige.

하나가 되어주셔요

님이여 나의 마음을 가져 가려거든 마음을 가진 나한지 가져 가셔요 그리하여 나로 하여금 님에게서 하나가 되게 하셔요

그렇지 아니하거든 나에게 고통만을 주지 마시고 님의 마음을 다 주셔요 그리고 마음을 가진 님한지 나에게 주셔요 그래서 님으로 하여금 나에게서 하나가 되게 하셔요

그렇지 아니하거든 나의 마음을 돌려보내 주셔요 그리고 나에게 고통을 주셔요

그러면 나는 나의 마음을 가지고 님의 주시는 고통을 사랑하겠습니다

FARIĜU UNU

Karulo, se vi deziras preni mian koron, vi prenu ankaŭ min, kiu havas koron. Kaj tiel fariĝu unu de la karulo per mi.

Se ne, donu al mi ne nur suferon, donu sed ankaŭ la tutan koron de mia karulo.

Kaj donu al mi kune kun la karulo, kiu havas koron. Kaj tiel fariĝu unu de mi per la karulo.

Se ne, retrosendu mian koron. Kaj poste donu al mi suferon.

Se tia, mi kune kun mia koro amos la suferon, kiun donis vi, karulo.

生命

닻과 키를 잃고 거친 바다에 漂流된 작은 生命의 배는 아직 發見도 아니된 黃金의 나라를 꿈꾸는 한 줄기 希望이 羅針盤이 되고 航路가 되고 順風이 되어서 물결의 한 끝은 하늘을 치고 다른 물결의 한 끝은 땅을 치는 무서운 바다에 배질합니다

님이여 님에게 바치는 이 작은 生命을 힘껏 껴안아 주셔요

이 작은 生命이 님의 품에서 으스러진다 하여도 歡喜의 靈地에서 殉情한 生命의 破片은 最貴한 寶石이 되어서 조각조각이 適當히 이어져서 님의 가슴에 사랑의 徽章을 걸겠습니다

님이여 끝없는 沙漠의 한 가지의 깃들일 나무도 없는 작은 새인 나의 生命을 님의 가슴에 으스러지도록 껴안아 주셔요

그리고 부서진 生命의 조각조각에 입맞춰 주셔요

VIVO

La eta vivŝipo, kiu drivis pro perdiĝo de masto kaj stililo en krudega maro, fariĝante montrilo de unu strio da espero, kiu sonĝas ankoraŭ neeltrovitan orlandon, farinte sin difinita vojaĝvojo, farinte sin facila vento, remas en timega maro, en kiu unu fino de marondoj batas la ĉielon kaj alia fino de marondoj batas la teron.

Karulo, forte brakumu tiun ĉi etan vivon, kiu dediĉas al vi.

Eĉ se tiu ĉi eta vivo frakasiĝus en brusto de la karulo, la fragmentoj de ammortigita vivo en paradiza animtero, farinte sin plej valoraj jubeleroj, kuniginte modeste la pecetojn, pendigos la aminsignon sur brusto de la karulo.

Karulo, brakumu en vian bruston tiel forte kiel frakasege mian vivon; t.e. etan birdon, kiu ne povas ektrovi la arbon, sur kies branĉo la birdo ripozu en senfina dezerto.

Kaj mi petas, ke vi kisu la fragmentojn de la disrompita vivo.

사랑의 測量

즐겁고 아름다운 일은 量이 많을수록 좋은 것입니다
그런데 당신의 사랑은 量이 적을수록 좋은가봐요
당신의 사랑은 당신과 나와 두 사람의 사이에 있는 것입니다
사랑의 量을 알려면 당신과 나의 距離를 測量할 수 밖에 없습니다
그래서 당신과 나의 距離가 멀면 사랑의 量이 많고 距離가 가까우면 사랑의 量이 적을 것입니다
그런데 작은 사랑은 나를 웃기더니 많은 사랑은 나를 울립니다

뉘라서 사람이 멀어지면 사랑도 멀어진다고 하여요
당신이 가신 뒤로 사랑이 멀어졌으면 날마다날마다 나를 울리는 것은 사랑이 아니고 무엇이어요

MEZURO DE LA AMO

Ju pli la kvanto de ĝoja-bela afero grandiĝos, des pli ĝi estas bona.

Tamen, ju pli la kvanto de via amo malgrandiĝos, des pli ĝi estas bona.

Via amo ekzistas nur inter du personoj: vi kaj mi.

Se mi deziras scii kvanton de la amo, mi nur povas mezuri la distancon inter vi kaj mi.

Tial ju pli malproksimas la distanco inter vi kaj mi, des pli multiĝas la kvanto de la amo, kaj ju pli proksimas la distanco, des pli malmultiĝas la kvanto de la amo.

Tamen, malmulta amo ridigas min, sed la multa amo plorigas min.

Kiu diras, ke ju pli la homoj malproksimiĝas, des pli la amo ankaŭ malproksimiĝas?

Kio estas tio, se oni ne povas diri amo tion, ke via forlaso plorigas min tagon post tago, se la amo malproksimiĝus post via foriro?

슬픔의 三昧

하늘의 푸른 빛과 같이 깨끗한 죽음은 群動을 淨化합니다
虛無의 빛인 고요한 밤은 大地에 君臨하였습니다
힘 없는 촛불 아래에 사려뜨리고 외로이 누워 있는 오오 님이여
눈물의 바다에 꽃배를 띄웠습니다
꽃배는 님을 싣고 소리도 없이 가라앉았습니다
나는 슬픔의 三昧에 「我空」이 되었습니다

꽃향기의 무르녹은 안개에 醉하여 靑春의 曠野에 비틀걸음치는 美人이여
죽음을 기러기털보다도 가벼웁게 여기고 가슴에서 타오르는 불꽃을 어름처럼 마시는 사랑의 狂人이여
아아 사랑에 병들어 자기의 사랑에게 自殺을 勸告하는 사랑의 失敗者여
그대는 滿足한 사랑을 받기 위하여 나의 팔에 안겨요
나의 팔은 그대의 사랑의 分身인 줄을 그대는 왜 모르셔요

EKSTAZO DE TRISTO

La pura morto, samkiel blua ĉielo, purigas aron da movaĵoj.

Kvieta nokto, t.e., la lumo de vaneco, ekregis la teron.

Ho, karulo, kuŝanta sola, memvolvinte sub malforta kandelfajro!

Mi ekflosigis florboaton en la maro de ploro.

La florboato, preninte la karulon, dronis sensona.

Mi fariĝis <mia vaneco> en la ekstazo de tristo.

Ho, belulo, paŝanta ŝancele en la kamparo de juneco, kun ebrio de la moldegelinta nebulo de floraromo!

Ho, fanatikulo de amo, opinianta malpeza morton pli ol la hararon de la sovaĝanaso, kaj trinkanta fajreron brulantan el brusto, kvazaŭ glaciaĵon!

Ho! Venkito de amo, rekomendanta la memmortigon al sia amo pro ammalsano!

Vi estu ekbrakumita en miaj brakoj por ricevi kontentigan amon.

Kial vi ne konas, ke miaj brakoj estas la branĉoj de via amo?

의심하지 마셔요

의심하지 마셔요 당신과 떨어져 있는 나에게 조금도 의심을 두지 마셔요
의심을 둔대야 나에게는 별로 관계가 없으나 부질없이 당신에게 苦痛의 數字만 더할 뿐입니다

나는 당신의 첫 사랑의 팔에 안길 때에 온갖 거짓의 옷을 다 벗고 세상에 나온 그대로의 발가벗은 몸을 당신의 앞에 놓았습니다 지금까지도 당신의 앞에는 그때에 놓아둔 몸을 그대로 받들고 있습니다

만일 人爲가 있다면 「어찌하여야 처음 마음을 변치 않고 끝끝내 거짓 없는 몸을 님에게 바칠고」하는 마음 뿐입니다
당신의 命令이라면 生命의 옷까지도 벗겠습니다

나에게 죄가 있다면 당신을 그리워하는 나의 「슬픔」입니다
당신이 가실 때에 나의 입술에 수가 없이 입맞추고 「부디 나에게 대하여 슬퍼하지 말고 잘 있으라」고 한 당신의 간절한 부탁에 違反되는 까닭입니다

그러나 그것만은 용서하여 주셔요
당신을 그리워 하는 슬픔은 곧 나의 生命인 까닭입니다
만일 용서하지 아니하면 後日에 그에 대한 罰을 風

雨의 봄새벽의 落花의 數만치라도 받겠습니다
　당신의 사랑의 동아줄에 휘감기는 軆刑도 사양치 않겠습니다
　당신의 사랑의 酷法 아래에 일만 가지로 服從하는 自由刑도 받겠습니다

　그러나 당신이 나에게 의심을 두시면 당신의 의심의 허물과 나의 슬픔의 죄를 맞비기고 말겠습니다
　당신에게 떨어져 있는 나에게 의심을 두지 마셔요 부질없이 당신에게 苦痛의 數字를 더하지 마셔요

NE DUBU

Bonvolu ne dubi. Neniom dubu al mi, loĝanta malpoksime de vi.

Via dubemo ne tiel gravas al mi, sed tio plimultigas nur nombrojn de viaj suferoj.

Mi, kiam mi brakumiĝis en la brakojn de via unua amo, metis antaŭ vi mian tian nudan korpon, kia mi naskiĝis en la mondo, senvestiginte mian ĉiun vestaĵon de mensogo. Mi ankoraŭ nun konservas mian tian korpon, kia mi metis tiaman mian korpon antaŭ vi.

Se ĉe mi troviĝus iel artefaro, tio estas nur la koro; t.e <kiel mi dediĉu mian senmensogan korpon neŝanĝatan en sama komenca koro ĝis la fino?>.

Se vi min ordonos, mi estos preta senvestigi ankaŭ veston de la vivo.

Se mi havus pekon, tio estus mia <tristo> sopiranta vin.

Ĉar tio kontraŭas al via sopirata peto; t.e. ke kiam vi forlasis, vi tiam sennombre kisis min ĉe lipoj kaj diris al mi: <Bone fartu ne tristante por mi.>.

Sed nur tion bonvolu pardoni.

Ĉar la tristo sopiranta vin estas ĝuste mia vivo.

Se vi ne pardonos, mi estos preta ricevi punon pro tio, eĉ tiom, kiom da floroj falas teren en frua mateno de pluvovento en printempo.

Mi ne cedu korpopunon ĉirkaŭigita de dikaj ŝnuroj de via amo.

Mi ne cedus liberpunon obeanta dekmil manierojn sub kruelega leĝo de via amo.

Sed, se vi havas dubon pri mi, mi nepre komparu vian dubeman eraron kun peko de mia tristo.

Bonvolu ne min dubi, malproksime loĝantan de vi.

Bonvolu ne multigi senkonsile sufernombron al vi.

당신은

당신은 나를 보면 왜 늘 웃기만 하셔요 당신의 찡그리는 얼굴을 좀 보고 싶은데

나는 당신을 보고 찡그리기는 싫어요 당신은 찡그리는 얼굴을 보기 싫어하실 줄을 압니다

그러나 떨어진 도화가 날라서 당신의 입술에 스칠 때에 나는 이마가 찡그러지는 줄도 모르고 울고 싶었습니다

그래서 금실로 수 놓은 수건으로 얼굴을 가렸습니다

VI

Kial vi ĉiam nur ridas, kiam vi vidas min? Mi dezirus vidi vian grimacan vizaĝon.

Mi ne deziras grimaci min tiam, kiam mi vidas vin. Mi scias, ke vi ne deziras vidi mian grimacan vizaĝon.

Sed, kiam falinta persikfloro forblovite preskaŭ tuŝetas viajn lipojn, mi deziris ploreti eĉ nesciante la grimacon de mia frunto.

Tial mi kovris mian vizaĝon per mantuko brodita de orfadenoj.

眞珠

언제인지 내가 바닷가에 가서 조개를 주웠지요 당신은 나의 치마를 걷어 주셨어요 진흙 묻는 다고

집에 와서는 나를 어린아이 같다고 하셨지요 조개를 주워다가 장난한다고 그리고 나가시더니 금강석을 사다 주셨습니다 당신이

나는 그때에 조개 속에서 진주를 얻어서 당신의 작은 주머니에 넣어 드렸습니다

당신이 어디 그 진주를 가지고 계셔요 잠시라도 왜 남을 빌려주셔요

PERLO

Mi iam kolektis konkojn ĉe marbordo. Tiam vi rullevetis supren mian jupon; Por ne tuŝi malpuran teron.

Vi diris, reveninte hejmen, ke mi agas kiel infano, ĉar mi ludis per la kolektitaj konkoj. Kaj vi, ja vi persone, elirinte, aĉetis la diamanton por mi.

Mi tiam enmetis en vian poŝon la perlon akiritan el konko.

Ĉu vi kunportas ie la perlon? Kial vi eĉ provizore pruntdonas ĝin al aliuloj?

幸福

나는 당신을 사랑하고 당신의 행복을 사랑합니다 나는 온세상 사람이 당신을 사랑하고 당신의 행복을 사랑하기를 바랍니다

그러나 정말로 당신을 사랑하는 사람이 있다면 나는 그 사람을 미워하겠습니다 그 사람을 미워하는 것은 당신을 사랑하는 마음의 한 부분입니다

그러므로 그 사람을 미워하는 고통도 나에게는 행복입니다

만일 온세상 사람이 당신을 미워한다면 나는 그 사람을 얼마나 미워하겠습니까

만일 온세상 사람이 당신을 사랑하지도 않고 미워하지도 않는다면 그것은 나의 일생에 견딜 수 없는 불행입니다

만일 온세상 사람이 당신을 사랑하고자 하여 나를 미워한다면 나의 행복은 더 클 수가 없습니다

그것은 모든 사람의 나를 미워하는 怨恨의 豆滿江이 깊을수록 나의 당신을 사랑하는 幸福의 白頭山이 높아지는 까닭입니다

FELIĈO

Mi amas kaj vin, kaj vian feliĉon. Mi deziras, ke ĉiuj homoj amu kaj vin, kaj vian feliĉon.

Sed, se vere estas iu, kiu amas vin, mi malamas tiun. Tio, ke mi malamas tiun, estas ankaŭ parto de mia koro, ke mi vin amas.

Tial, ankaŭ la sufero, ke mi malamas tiun, estas feliĉo por mi.

Se ĉiuj homoj en la mondo malamus vin, kiel multe mi malamus ilin?

Se ĉiuj homoj en la mondo ne amus vin, nek malamus vin, tio estas neeltenebla malfeliĉo en mia dumvivo.

Se ĉiuj homoj en la mondo malamus min por tio, ke ili deziras ami vin, mia feliĉo ne povas fariĝi pli granda.

Ĉar tio estas sama kialo, ke ju pli profundiĝas la rivero Tumankang[6] de venĝo por malami min, des pli altiĝas monto Pektusan[7] de feliĉo por ami vin.

---

6) *Tumankang : Rivero Tumankang longas je 547.8 km, fluas laŭ landlimoj de Koreujo,Ĉinio,kaj Rusujo. La rivero fluas de monto Pektu al la Orienta Maro de Korea duoninsulo.

내려오셔요 나의 마음이 자릿자릿하여요 곧 내려오셔요

사랑하는 님이여 어찌 그렇게 높고 가는 나무가지 위에서 춤을 추셔요

두 손으로 나무가지를 단단히 붙들고 고히고히 내려오셔요

에그 저 나뭇잎새가 연꽃봉오리 같은 입술을 스치겠네 어서 내려오셔요

「네 네 내려가고 싶은 마음이 잠자거나 죽은 것은 아닙니다마는 나는 아시는 바와 같이 여러 사람의 님인 때문이여요 향기로운 부르심을 거스르고자 하는 것은 아닙니다」고 버들가지에 걸린 반달은 해죽해죽 우스면서 이렇게 말하는 듯하였습니다

나는 작은 풀잎만치도 가림이 없는 발가벗은 부끄러움을 두 손으로 움켜쥐고 빠른 걸음으로 잠자리에 들어가서 눈을 감고 누웠습니다

내려오지 않는다던 반달이 사뿐사뿐 걸어와서 창밖에 숨어서 나의 눈을 엿봅니다

부끄럽던 마음이 갑짜기 무서워서 떨려집니다

---

7) *Pektusan : Monto Pekdusan estas la plej alta monto(2,750m) en Korea duoninsulo, la monto situas norde 41°01′, oriente 128°05′.

MISKONFIRMO

Venu suben. Mia koro trem-tremas. Venu suben tuj.

Kial vi, amata karulo, dancas sur la branĉo de tiel alta kaj malforta arbo?

Venu suben atente-atente firm-tenante per du manoj la branĉojn.

He, tiuj folioj de la arbo preskaŭ tuŝus viajn lotusflorajn lipojn.

Venu suben tuj.

"Jes, jes, ideo, ke mi suben iru, ne dormis nek mortis, sed mi, kiel vi scias, estas la karulo de multaj homoj. Mi ne intencas kontraŭi vian aroman vokon." Ŝajnas, ke tiel ĉi diras kvazaŭrideme la duonluno pendigata sur branĉoj de saliko.

Mi, forte prenante per du manoj tiel senkaŝan nudan hontemon, kiel eĉ malgrandan folieton, en rapidaj paŝoj eniris en dormejon kaj ekkuŝigis min fermante okulojn.

La duonluno, kiu promensis ne subeniri, paŝante leĝere-leĝere, kaŝis sin sub fenestro, kaj subrigardas miajn okulojn.

Hontema koro subite ektremis pro timo.

秘密

秘密입니까 秘密이라니요 나에게 무슨 秘密이 있겠습니까
나는 당신에게 대하여 秘密을 지키려고 하였습니다마는 秘密은 야속히도 지켜지지 아니하였습니다

나의 秘密은 눈물을 거쳐서 당신의 視覺으로 들어갔습니다
나의 秘密은 한숨을 거쳐서 당신의 聽覺으로 들어갔습니다
나의 秘密은 떨리는 가슴을 거쳐서 당신의 觸覺으로 들어갔습니다
그밖의 秘密은 한 조각 붉은 마음이 되어서 당신의 꿈으로 들어갔습니다
그리고 마지막 秘密은 하나 있습니다 그러나 그 秘密은 소리 없는 메아리와 같아서 表現할 수가 없습니다

SEKRETO

Ĉu sekreto? Ĉu estas sekreto? Ĉu estas sekreto ĉe mi?

Mi klopopdis konservi la sekreton, la sekreto senkore ne estis konservita.

Mia sekreto eniris en vian vidorganon tra larmon.

Mia sekreto eniris en vian aŭdorganon tra ĝemon.

Mia sekreto eniris en vian tuŝorganon tra trembruston.

Ceteraj sekretoj eniris en vian sonĝon fariĝinte peco da ruĝa koro.

Kaj la lasta unu sekreto ankoraŭ restas. Sed ĝin mi ne povas esprimi, ĉar tio egalas al sensona eĥo.

사랑의 存在

사랑을 「사랑」이라고 하면 벌써 사랑은 아닙니다
사랑을 이름지을 만한 말이나 글이 어디 있습니까
微笑에 눌려서 괴로운 듯한 薔薇빛 입술인들 그것을 스칠 수가 있습니까
눈물의 뒤에 숨어서 슬픔의 黑闇面을 反射하는 가을 물결의 눈인들 그것을 비칠 수가 있습니까
그림자 없는 구름을 거쳐서 매아리 없는 絶壁을 거쳐서 마음이 갈 수 없는 바다를 거쳐서 存在? 存在입니다
그 나라는 國境이 없습니다 壽命은 時間이 아닙니다
사랑의 存在는 님의 눈과 님의 마음도 알지 못합니다
사랑의 秘密은 다만 님의 手巾에 繡 놓는 바늘과 님의 심으신 꽃나무와 님의 잠과 詩人의 想像과 그들만이 압니다

EKZISTO DE LA AMO

Se oni nomas la amon <amo>, tiam ĝi jam ne plu estas amo.

Kie troviĝas aŭ diro aŭ skribo nomi la amon?

Ĉu tion povas preterpaŝi eĉ rozkoloraj lipoj kvazaŭ suferantaj pro subpremo de rideto?

Ĉu tion povas travidigi eĉ la okuloj de aŭtunondoj, kiuj respegulas mallumflankon de tristo, kaŝinte sin post larmo?

Estas ekzisto? ekzisto tra nubo sen ombro, tra klifo sen eĥo, tra maro de neatingebla koro.

En tiu lando ne ekzistas landlimo. Vivdaŭro ne estas tempo.

Ekziston de la amo ne scias la okuloj de la karulo, nek la koro de la karulo.

La sekreton de la amo scias nur tiuj; kudrilo, kiu faris brodaĵon sur mantuko de la karulo; florarbo, kiun plantis la karulo; dormo de la karulo; kaj imago de la poeto.

꿈과 근심

밤 근심이 하 길기에
꿈도 길 줄 알았더니
님을 보러 가는 길에
반도 못 가서 깨었구나

새벽 꿈이 하 짧기에
근심도 짧을 줄 알았더니
근심에서 근심으로
끝간 데를 모르겠다

만일 님에게도
꿈과 근심이 있거든
차라리
근심이 꿈되고 꿈이 근심되어라

SONĜO KAJ ZORGO

Nokta zorgo estis tro longa, tial
mi pensis, ke ankaŭ sonĝo same longus,
mi ekiris renkonte la karulon, sed
mi vekiĝis neatinge duonan celon.

Frumatena sonĝo tro mallongis, tial
mi pensis, ke ankaŭ zorgo same mallongus,
mi, zorgo post zorgo, ne scias
kie la fino de zorgo lokiĝas.

Se ankaŭ la karulo havus
sonĝon kaj zorgon,
libervole
sonĝo estu zorgo, zorgo estu sonĝo.

葡萄酒

가을 바람과 아침볕에 마치 맞게 익은 향기로운 포도를 따서 술을 빚었습니다 그 술 고이는 향기는 가을 하늘을 물드립니다

님이여 그 술을 연잎잔에 가득히 부어서 님에게 드리겠습니다

님이여 떨리는 손을 거쳐서 타오르는 입술을 추기셔요

님이여 그 술은 한 밤을 지나면 눈물이 됩니다

아아 한 밤을 지나면 포도주가 눈물이 되지마는 또 한 밤을 지나면 나의 눈물이 다른 포도주가 됩니다 오 오 임이여

VINO

Rikoltis mi sufiĉe da maturaj aromaj vinberoj je aŭtunvento kaj matensuno, kaj per ĝi mi faris vinon. La aromo de vinfarado kolorigis aŭtunĉielon.

Karulo, al vi mi donos vinon per plena lotusfolia taso.

Karulo, tuŝetu viajn brulantajn lipojn tra la tremajn manojn.

Karulo, vino, post unu nokto, fariĝas larmo.

Ha! Kvankam vino, post unu nokto, fariĝas larmo, kaj ĝi, post alia unu nokto, fariĝas alia vino el mia larmo.

Ho, karulo!

誹謗

세상은 誹謗도 많고 猜忌도 많습니다
당신에게 誹謗과 猜忌가 있을지라도 關心치 마서요
誹謗을 좋아하는 사람들은 太陽에 黑點이 있는 것도 다행으로 생각합니다
당신에게 대하여는 誹謗할 것이 없는 그것을 誹謗할는지 모르겠습니다

조는 사자를 죽은 羊이라고 할지언정 당신이 試鍊을 받기 위하여 盜賊에게 捕虜가 되었다고 그것을 卑怯이라고 할 수는 없습니다
달빛을 갈꽃으로 알고 흰 모래 위에서 갈매기를 이웃하여 잠자는 기러기를 음란하다고 할지언정 正直한 당신이 狡猾한 誘惑에 속혀서 靑樓에 들어갔다고 당신을 持操가 없다고 할 수는 없습니다
당신에게 誹謗과 猜忌가 있을지라도 關心치 마서요

KALUMNIO

En la mondo kaj multas kalumnioj kaj multas ĵaluzoj.

Eĉ se al vi estus kalumnio kaj ĵaluzo, tamen ne zorgu.

Kalumniamantoj eĉ feliĉigas sin pro tio, ke en la suno troviĝas nigropunktoj.

Ili eble ŝatus kalumnii vin per tio, ke en vi troviĝas neniu kalumniaĵo.

Eĉ se dormetan leonon oni povus diri mortinta ŝafo, sed oni ne povas diri vin malkuraĝa pro tio, ke vi estis kaptita de la ŝtelisto por testi vian suferon.

Eĉ se sovaĝanason oni povus diri malĉasta pro tio, ke ĝi, komprenante lunlumon kiel kanfloron, dormas najbare de mevo sur blanka sablo, sed oni ne povas diri vin malkonstanta pro tio, ke sincera vi vizitis malĉastejon mensogita de ruza allogo.

Eĉ se al vi estus kalumnio kaj ĵaluzo, tamen ne zorgu.

?

희미한 졸음이 활발한 님의 발자취소리에 놀라 깨어 무거운 눈썹을 이기지 못하면서 창을 열고 내다보았습니다

동풍에 몰리는 소낙비는 산모롱이를 지나가고 뜰앞의 파초잎 위에 빗소리의 남은 音波가 그네를 뜁니다

感情과 理智가 마주치는 刹那에 人面의 惡魔와 獸心의 天使가 보이려다 사라집니다

흔들어빼는 님의 노랫가락에 첫잠든 어린 잔나비의 애처로운 꿈이 꽃 떨어지는 소리에 깨었습니다

죽은 밤을 지키는 외로운 등잔불의 구슬꽃이 제 무게를 이기지 못하여 고요히 떨어집니다

미친 불에 타오르는 불쌍한 靈은 絶望의 北極에서 新世界를 探險합니다

沙漠의 꽃이여 그믐밤의 滿月이여 님의 얼굴이여

피려는 薔薇花는 아니라도 갈지 않은 白玉인 純潔한 나의 입술은 微笑에 沐浴 감는 그 입술에 채 닿지 못하였습니다

움직이지 않는 달빛에 눌리운 창에는 저의 털을 가다듬는 고양이의 그림자가 오르락내리락합니다

아아 佛이냐 魔냐 人生이 티끌이냐 꿈이 黃金이냐

작은 새여 바람에 흔들리는 약한 가지에서 잠자는 작은 새여

<?>

Mi, kun surprizo, ekvekiĝinte el duonluma dormeto je viglaj paŝoj de la karulo, malferminte fenestron, rigardis eksteren, nevenkinte pezajn brovojn.

Pluvego pelata de orienta vento trapasas kurbangulon de monto, sonondo postlasita de pluva sono sur folioj de baŝoo antaŭ korto ludas balancilon.

En la sekundo, kiam la sento kaj la racio renkontiĝas, kvazaŭ aperante malaperas la demono de homvizaĝo kaj la anĝelo de bestkoro.

Sono de falanta floro vekis kompatan songon de juna simio, kiu unue endormiĝis laŭ kantmelodio elfarita el skuanta korpo de karulo.

Perlofloro de sola lampfajro, kiu gardas mortan nokton, trankvile falas, venkita de sia pezo.

Mizera animo brulanta je freneza fajro aventuras la novan mondon en la poluso.

Floro de sablaro, plenluno de lasta nokto de monato, vizaĝo de la karulo!

Miaj puraj lipoj, eĉ se ili ne estas ekflorontaj rozoj: t.e. nerafinitaj blankaj perloj, povis preskaŭ ne atingi viajn lipojn, kiuj banis de rideto.

Ho, ĉu budho aŭ demono, ĉu la vivo estas polvo, aŭ ĉu sonĝo estas oro?

Eta birdo, eta birdo, kiu dormas sur malforta branĉo skuata de vento!

밤은 고요하고

밤은 고요하고 방은 물로 씻은 듯합니다

이불은 개인 채로 옆에 놓아두고 화롯불을 다듬거리고 앉았습니다

밤은 얼마나 되었는지 화롯불은 꺼져서 찬 재가 되었습니다

그러나 그를 사랑하는 나의 마음은 오히려 식지 아니하였습니다

닭의 소리가 채 나기 전에 그를 만나서 무슨 말을 하였는데 꿈조차 분명치 않습니다 그려

NOKTO TRANKVILAS

Nokto trankvilas, ĉambro ŝajnas akvopurigita.

Mi, flanken lasante ordigitan litkovrilon, eksidis, aranĝinte la fajron en fajrpelvo.

Nokto pasis malfrua, fajro de la fajrpelvo estingiĝis, kaj jam fariĝis malvarma cindro.

Sed male mia koro amanta lin estas ne malvarmiĝis.

Antaŭ ol koko veki matenon, mi diris ion renkonte kun li en sonĝo, sed eĉ la sonĝon mi ne klare memoras.

님의 손길

님의 사랑은 鋼鐵을 녹이는 불보다도 뜨거운데 님의 손길은 너무 차서 限度가 없습니다

나는 이 세상에서 서늘한 것도 보고 찬 것도 보았습니다 그러나 님의 손길 같이 찬 것은 볼 수가 없습니다

국화 핀 서리 아침에 떨어진 잎새를 울리고 오는 가을 바람도 님의 손길보다는 차지 못합니다

달이 적고 별에 뿔나는 겨울밤에 얼음 위에 쌓인 눈도 님의 손길보다는 차지 못합니다

甘露와 같이 淸凉한 禪師의 說法도 님의 손길보다는 차지 못합니다

나의 작은 가슴에 타오르는 불꽃은 님의 손길이 아니고는 끄는 수가 없습니다

님의 손길의 溫度를 測量할 만한 寒暖計는 나의 가슴밖에는 아무데도 없습니다

님의 사랑은 불보다도 뜨거워서 근심山을 태우고 恨바다를 말리는데 님의 손길은 너무도 차서 限度가 없습니다

MANTUŜO DE LA KARULO

La amo de la karulo estas pli varmega ol fajro degeliganta ŝtalon, sed mantuŝo de la karulo estas tiel malvarmeta, ke mi ne povas mezuri limon.

Mi en la mondo vidis jen malvarmetaĵon, jen malvarmaĵon. Sed mi neniam vidis saman malvarmecon, kiel la karula.

Eĉ aŭtunvento, kiu prujnmatene venas plorigante falintajn foliojn de floranta krizantemo, estas malpli malvarma ol la mantuŝo de la karulo.

Eĉ neĝoblovo, kiu sur glacio tavoliĝis vintronokte, kiam la luno malgrandas, kaj steloj naskas kornojn, estas malpli malvarma ol la mantuŝo de la karulo.

Eĉ parolado de zenbonzo, serena kiel dolĉa roso, estas malpli malvarma ol la mantuŝo de la karulo.

Nenio povas estingi fajron brulanta en mia eta brusto, krom mantuŝo de la karulo.

Nenie povas esti mezurilo de varmo-malvarmo, kiu mezuras temperaturon de la mantuŝo de la karulo, krom nur mia brusto.

La amo de la karulo estas pli varmega ol fajro, bruligas zorgomonton kaj sekigas rankormaron, sed la mantuŝo de la karulo estas tiel malvarma, ke mi ne povas mezuri limon.

服從

남들은 自由를 사랑한다지마는 나는 服從을 좋아하여요
自由를 모르는 것은 아니지만 당신에게는 服從만하고 싶어요
服從하고 싶은데 服從하는 것은 아름다운 自由보다도 달콤합니다 그것이 나의 幸福입니다

그러나 당신이 나더러 다른 사람을 服從하라면 그것만은 服從할 수가 없습니다
다른 사람에게 服從하려면 당신에게 服從할 수가 없는 까닭입니다

OBEO

Liberon aliuloj amas, tamen obeon mi ŝatas.
Liberon mi ne malscias, tamen nur obeon mi tenu al vi.
La obeo al tiu, kiun mi deziras obei, pli dolĉas ol libero bela. Tio estas mia feliĉo.

Vi, sed, ordonus, ke mi obeu iun alian, nur tion mi ne povus obei.
Ĉar se mi obeus aliulojn, vin mi ne povus obei.

海棠花

당신은 해당화 피기 전에 오신다고 하였습니다 봄은 벌써 늦었습니다
봄이 오기 전에는 어서 오기를 바랐더니 봄이 오고 보니 너무 일찍 왔나 두려합니다

철모르는 아해들은 뒷동산에 해당화가 피였다고 다투어 말하기로 듣고도 못 들은 체하였더니
야속한 봄바람은 나는 꽃을 불어서 경대 위에 놓습니다 그려
시름없이 꽃을 주워서 입술에 대고 「너는 언제 피였니」하고 물었습니다
꽃은 말도 없이 나의 눈물에 비쳐서 둘도 되고 셋도 됩니다

SOVAĜA ROZO

Vi promesis, ke vi revenos antaŭ ol ekfloro de sovaĝa rozo. Printempo jam malfruiĝis.

Mi deziris vin atingi pli frue ol printempo, tamen venas la printempo, kaj mi timas, ĉu tio venis tro frue?

Mi ŝajnigis ne aŭskulta, ke bubecaj knaboj konkure diras, ke jam floris sovaĝaj rozoj en posta monteto.

Senkora printempovento forblovis aere flugantajn petalojn sur mian spegulstandon.

Mi, senzorge kolektinte unu petalon kaj tuŝante ĝin ĉe lipoj, demandis tiun petalon: "kiam vi ekfloris?"

Tiu senresponda petalo, travidata de mia larmo, fariĝas jen du, jen tri.

당신을 보았습니다

당신이 가신 뒤로 나는 당신을 잊을 수가 없습니다
까닭은 당신을 위하느니보다 나를 위함이 많습니다

나는 갈고심을 땅이 없으므로 秋收가 없습니다
저녁거리가 없어서 조나 감자를 꾸러 이웃집에 갔더니 主人은 「거지는 人格이 없다 人格이 없는 사람은 生命이 없다 너를 도아주는 것은 罪惡이다」고 말하였습니다
그 말을 듣고 돌아나올 때에 쏟아지는 눈물 속에서 당신을 보았습니다

나는 집도 없고 다른 까닭을 겸하여 民籍이 없습니다
「民籍 없는 者는 人權이 없다 人權이 없는 너에게 무슨 貞操냐」하고 凌辱하려는 將軍이 있었습니다
그를 抗拒한 뒤에 남에게 대한 激憤이 스스로의 슬픔으로 化하는 刹那에 당신을 보았습니다
아아 온갖 倫理, 道德, 法律은 칼과 黃金을 祭祀 지내는 烟氣인 줄을 알았습니다
永遠의 사랑을 받을까 人間歷史의 첫 페이지에 잉크칠을 할까 술을 마실까 망서릴 때에 당신을 보았습니다

MI VIDIS VIN

Post via forlaso mi ne forgesas vin.
La kaŭzo estas multe por mi, ne por vi.

Mi ne havas kulturan kampon sulki kaj planti, tial mi ne havas rikolton.

Mi ne havis vesperopreparaĵon, kaj mi iris por peti aŭ milion aŭ terpomon de najbara domo, la dommastro diris:

"Almozulo ne havas la homecon. Senhomeculo ne havas vivon. Helpo por vi estas peko."

Aŭskultinte tion, mi turnis min el la domo, tiam mi, kun fluego da larmoj, vidis vin.

Mi ne havas domon, aldone, pro alia kaŭzo, mi eĉ ne havas la popolan registron.

Iu malhonorintenca generalo diris: "Kiu ne havas popolan registron, tiu ne havas la homan rajton. Kiun virgecon vi havas, eĉ senhavanto de homa rajto?"

Kontraŭinte al li, mi vidis vin en la sekundo, kiam kolerego al aliuloj fariĝis memtristo.

Ho! Mi sciis, ke ĉiu etiko, moralo kaj leĝo estas fumaĵaro, kiu kultas glavon kaj oron.

Kiam mi hezitis decidi, aŭ ĉu mi ricevu la amon de eterno, aŭ ĉu mi faru inkdesegnon sur la unua paĝo de la homa historio, aŭ ĉu mi trinku vinon, tiam mi vidis vin.

심은 버들

뜰 앞에 버들을 심어
님의 말을 매렸더니
님은 가실 때에
버들을 꺾어 말채찍을 하였습니다

버들마다 채찍이 되어서
님을 따르는 나의 말도 채칠까 하였더니
남은 가지 千萬絲는
해마다 해마다 보낸 恨을 잡아맵니다

PLANTITA SALIKO

Mi ekplantis salikon antaŭ la korto
por ke tie la karulo metu ĉevalon sian,
li tranĉis branĉon el la saliko
por ke li, je sia foriro, vipu ĉevalon sian.

Saliko post saliko fariĝu vipiloj, per kiuj li vipu ankaŭ mian ĉevalon, kiu servas la karulon,
la restantaj salikoj fariĝas mil-dekmil fadenoj, per kiuj mi metas ankaŭ mian rankoron, kiu pasis jaron post jaro.

비

비는 가장 큰 權威를 가지고 가장 좋은 機會를 줍니다
비는 해를 가리고 하늘을 가리고 세상 사람들의 눈을 가립니다
그러나 비는 번개와 무지개를 가리지 않습니다

나는 번개가 되어 무지개를 타고 당신에게 가서 사랑의 팔에 감기고자 합니다
비오는 날 가만히 가서 당신의 沈黙을 가져온대도 당신의 主人은 알 수가 없습니다

만일 당신이 비오는 날에 오신다면 나는 蓮잎으로 윗옷을 지어서 보내겠습니다
당신이 비오는 날에 蓮잎옷을 입고 오시면 이 세상에는 알 사람이 없습니다
당신이 비 가운대로 가만히 오서서 나의 눈물을 가져 가신대도 永遠한 秘密이 될 것입니다
비는 가장 큰 權威를 가지고 가장 좋은 機會를 줍니다

PLUVO

Pluvo, kun pleja rojaleco, donas privilegian okazon.

Pluvo kovras la sunon, kovras la ĉielon, kaj kovras okulojn de la homoj en la mondo.

Sed pluvo ne kovras fulmon kaj ĉielarkon.

Mi, fariĝante fulmo, surrajdas sur la ĉielarko, kaj atingos vin, kaj volvu min ĉe viaj brakoj de la amo.

En pluvanta tago, se mi prenos de vi silenton, via mastro ne povas ekscii.

Se vi venos en pluvanta tago, mi sendos al vi surtuton, kiun mi teksas per lotusfolioj.

Se vi venos vestita de lotusfolia surtuto en pluvanta tago, neniu en la mondo scipovas vin.

Se vi venos kviete en la mezon de pluvo, kaj eĉ prenos mian larmon, tio fariĝos eterna sekreto.

Pluvo, kun pleja rojaleco, donas privilegian okazon.

참아 주셔요

나는 당신을 이별하지 아니할 수가 없습니다 님이여 나의 이별을 참아 주셔요

당신은 고개를 넘어갈 때에 나를 돌아보지 마셔요 나의 몸은 한 작은 모래 속으로 들어가려 합니다

님이여 이별을 참을 수가 없거든 나의 죽음을 참아 주셔요

나의 生命의 배는 부끄러움의 땀의 바다에서 스스로 爆沈하려 합니다 님이여 님의 입김으로 그것을 불어서 속히 잠기게 하여 주셔요 그리고 그것을 웃어 주셔요

님이여 나의 죽음을 참을 수가 없거든 나를 사랑하지 말아 주셔요 그리하고 나로 하여금 당신을 사랑할 수가 없도록 하여 주셔요

나의 몸은 터럭 하나도 빼지 아니한 채로 당신의 품에 사라지겠습니다

님이여 당신과 내가 사랑의 속에서 하나가 되는 것을 참아 주셔요 그리하여 당신은 나를 사랑하지 말고 나로 하여금 당신을 사랑할 수가 없도록 하여 주셔요 오오 님이여

ELTENU

Mi ne povas ne forlasi vin. Karulo, eltenu mian forlason.

Vi ne turnu vin, kiam vi transiras montpinton. Mia korpo preskaŭ estas enironta en unu sableron.

Karulo, eĉ se vi ne eltenus forlason, eltenu mian morton.

Mia vivoboato deziras droni bombita sin en hontema ŝvitmaro.

Karulo, ekblovu per elspiro de la karulo, kaj dronigu ĝin tuj. Kaj ridu pri tio.

Karulo, eĉ se vi ne eltenus mian morton, ne amu min. Kaj faru min ne ami vin.

Mia korpo, nesenigata eĉ unu plumon, malaperos en via brusto.

Karulo, eltenu, ke vi kaj mi en la amo fariĝos unu. Kaj faru tiel ke vi ne amu min, kaj faru tiel ke mi ne amu vin. Ho, karulo!

어느 것이 참이냐

엷은 紗의 帳幕이 작은 바람에 휘둘려서 處女의 꿈을 휩싸듯이 자취도 없는 당신의 사랑은 나의 靑春을 휘감습니다

발딱거리는 어린 피는 고요하고 맑은 天國의 音樂에 춤을 추고 헐떡이는 작은 靈은 소리없이 떨어지는 天花의 그늘에 잠이 듭니다

가는 봄비가 드린 버들에 둘려서 푸른 연기가 되듯이 끝도 없는 당신의 情실이 나의 잠을 얼급니다

바람을 따라가려는 짧은 꿈은 이불 안에서 몸부림치고 강건너 사람을 부르는 바쁜 잠꼬대는 목 안에서 그네를 뜁니다

비낀 달빛이 이슬에 젖은 꽃수풀을 싸라기처럼 부시듯이 당신의 떠난 恨은 드는 칼이 되어서 나의 애를 토막토막 끊어 놓았습니다

문밖의 시내물은 물결을 보태려고 나의 눈물을 받으면서 흐르지 않습니다

봄동산의 미친 바람은 꽃 떨어뜨리는 힘을 더하려고 나의 한숨을 기다리고 섰습니다

KIU ESTAS VERO?

Same kiel maldika-fadena kurteno pelata de venteto volvas la songôn de virgino, via senspura amo volvas mian junecon.

Pulsobatanta junsango dancas laŭ muziko de trankvila kaj klara paradizo, anhela eta animo dormas en la ombro de ĉielfloro sensona-fala.

Same kiel maldika printempa pluvo fariĝas blua fumo subpremita de plektita saliko, via senfina amfadeno teksas mian dormon.

Mallonga songô sekvonta venton baraktas en la litkovrilo, la okupita deliro vokanta la homon trans la rivero ludas balancilon en gorĝo.

Same kiel flankenigitaj lunlumoj blindumigas rosomalsekigitan florarbuston kiel muelitaj rizeroj, via forlasita rankoro tranĉis pomalgrande mian suferon, fariĝinte akra glavo.

Rivereto ekster pordo ne fluas ricevante mian larmon por pli da multigo fari akvondojn.

La vento freneza sur printempa monteto staras atendante mian ĝemon por pli da energio faligi florojn.

꽃이 먼저 알아

옛집을 떠나서 다른 시골에 봄을 만났습니다
꿈은 이따금 봄바람을 따라서 아득한 옛터에 이릅니다
지팽이는 푸르고 푸른 풀빛에 묻혀서 그림자와 서로 따릅니다

길가에서 이름도 모르는 꽃을 보고서 행여 근심을 잊을까 하고 앉았습니다
꽃송이에는 아침 이슬이 아직 마르지 아니한가 하였더니 아아 나의 눈물이 떨어진 줄이야 꽃이 먼저 알았습니다

FLORO EKSCIIS UNUE

Mi, forlasinte malnovan domon, renkontis printempon en alia kampara vilaĝo.
Sonĝo, sekvante printempan venton, malofte atingas svenan malnovan teron.
Apogstango, kovrata de verda-verda florkoloro, sekvas kun sia ombro.

Mi, renkontinte nesciatan floron, sidis kun deziro, ĉu mi forgesus la zorgon?
Rosoj en florfloko ankoraŭ ne sekiĝis, -ha!- sed, tion, ke miaj larmgutoj falis, la floro eksciis unue.

情天恨海

가을 하늘이 높다기로
情의 하늘에 따를소냐
봄바다가 깊다기로
恨바다만 못하리라

높고 높은 情하늘이
싫은 것은 아니지만
손이 낮아서
오르지 못하고
깊고 깊은 恨바다가
병될 것은 없지마는
다리가 짧아서
건너지 못한다

손이 자라서 오를 수만 있으면
情하늘은 높을수록 아름답고
다리가 기러서 건널수만 있으면
恨바다는 깊을수록 묘하니라

만일 情하늘이 무너지고 恨바다가 마른다면
차라리 情天에 떨어지고 恨海에 빠지리라
아아 情하늘이 높은 줄만 알았더니
님의 이마보다는 낮다
아아 恨바다가 깊은 줄만 알았더니
님의 무릎보다는 옅다

손이야 낮든지 다리야 짧든지
情하늘에 오르고 恨바다를 건너려면
님에게만 안기리라

SENTĈIELO KAJ RANKORMARO

Eĉ se altegas aŭtunĉielo,
ĉu ĝi konkuras kun sentĉielo?
Eĉ se profundas printempmaro,
sed ĝi ne konkuras kun rankormaro.

Alta, alta sentĉielo
ne ĝenas min, tamen,
per miaj malaltaj manoj,
mi neniel grimpas supren.

Profunda rankormaro,
ne dolorigas min,tamen,
per miaj mallongaj kruroj,
mi neniel iras transmaren.

Se manoj plikreskus kaj mi povus grimpi,
ju pli altega sentĉielo, des pli belega.
Se kruroj plilongus kaj mi povus transiri,
ju pli profunda rankormaro, des pli mistera.

Se sentĉielo falus kaj rankormaro sekiĝus,
libervole, mi falu en sentĉielo, dronu en rankormaro.

Ha, sentĉielon mi ĉiam nur sciis altega,
sed vere ĝi pli malaltas ol frunto de karulo.
Ha, rankormaron mi ĉiam nur sciis profunda,
sed vere ĝi pli malprofundas ol genuoj de karulo.

Malgraŭ, ke manoj malaltus kaj kruroj mallongus,
se mi volas grimpi sentĉielon kaj transiri rankormaron,
mi nepre brakumiĝu ĉe la karulo.

첫 키스

마셔요 제발 마셔요
보면서 못보는 체 마셔요
마셔요 제발 마셔요
입술을 다물고 눈으로 말하지 마셔요
마셔요 제발 마셔요
뜨거운 사랑에 우스면서 차디찬 잔부끄러움에 울지 마셔요
마셔요 제발 마셔요
世界의 꽃을 혼자 따면서 亢奮에 넘쳐서 떨지 마셔요
마셔요 제발 마셔요
微笑는 나의 運命의 가슴에서 춤을 춥니다 새삼스럽게 스스러워 마셔요

LA UNUA KISO

Ne, bonvole, ne faru.
Ne ŝajnigu nevidanta, vidante min.
Ne, bonvole, ne faru.
Ne parolu okule, fermante lipojn.
Ne, bonvole, ne faru.
Ne ploru je malvarmaj hontetoj, ridante je varma amo.
Ne, bonvole, ne faru.
Ne tremu je superflua ekscito, sola kolektante florojn en la mondo.
Ne, bonvole, ne faru.
Rideto dancas en brusto de mia sorto. Ne freŝe hontemu.

禪師의 說法

나는 禪師의 說法을 들었습니다

「너는 사랑의 쇠사슬에 묶여서 苦痛을 받지 말고 사랑의 줄을 끊어라 그러면 너의 마음이 즐거우리라」고 禪師는 큰 소리로 말하였습니다

그 禪師는 어지간히 어리석습니다

사랑의 줄에 묶이운 것이 아프기는 아프지만 사랑의 줄을 끊으면 죽는 것보다도 더 아픈 줄을 모르는 말입니다

사랑의 束縛은 단단히 얽어매는 것이 풀어주는 것입니다

그러므로 大解脫은 束縛에서 얻는 것입니다

님이여 나를 얽은 님의 사랑의 줄이 약할까 봐서 나의 님을 사랑하는 줄을 곱드렸습니다

PREDIKO DE ZENBONZO

Mi aŭskultis predikon de iu zenbonzo.

La zenbonzo laŭte diris: "Vi ne suferu en ferĉeno de la amo, sed eltranĉu amŝnuron. Kaj tiel, vi akiros vian koron ĝoja."

Sed la zenbonzo konsidere malsaĝas.

La diro estas farita sensciate; kvankam dolorige estas ke oni ĉenas sin per amŝnuro, tamen tranĉo de amŝnuro pli dolorigas ol morto.

La firmega jungo en amjugo estas liberigado.

Kaj tial granda nirvano akiras el la jugo.

Karulo! Timante, ĉu malfortus la min junganta amŝnuro de la karulo, mi donis al la karulo duoble fortan amŝnuron.

그를 보내며

그는 간다 그가 가고 싶어서 가는 것도 아니요 내가 보내고 싶어서 보내는 것도 아니지만 그는 간다

그의 붉은 입술 흰 이 가는 눈썹이 어여쁜 줄만 알았더니 구름 같은 뒷머리 실버들 같은 허리 구슬 같은 발꿈치가 보다도 아름답습니다

걸음이 걸음보다 멀어지더니 보이려다 말고 말려다 보인다

사람이 멀어질수록 마음은 가까워지고 마음이 가까워질수록 사람은 멀어진다

보이는 듯한 것이 그의 흔드는 수건인가 하였더니 갈매기보다도 작은 조각 구름이 난다

SENDANTE LIN

Li foriras. Li foriras, ne pro sia irvolo, nek pro mia sendodeziro.

Mi nur sciis, ke belas liaj ruĝaj lipoj, blankaj dentoj, kaj mallarĝaj brovoj, sed ankaŭ trovis, ke plibelas ankaŭ lia postkapa hararo kiel nubo, lia talio kiel fadena saliko, kaj liaj kalkanoj kiel perloj.

Paŝoj malproksimiĝas pli ol paŝoj, jen videblas, jen nevideblas.

Ju pli homoj estas for, des pli koroj proksimiĝas, kaj ju pli koroj proksimiĝas, des pli homoj estas for.

Ankoraŭ videbla ŝajnas al mi tuko manskuata de li, sed flugas nubpeco plimalgranda ol mevo.

金剛山

萬二千峰 - 無恙하냐 金剛山아
너는 너의 님이 어디서 무엇을 하는지 아느냐
너의 님은 너 때문에 가슴에서 타오르는 불꽃에 온갖 宗教, 哲學, 名譽, 財産 그외에도 있으면 있는 대로 태워버리는 줄을 너는 모르리라

너는 꽃에 붉은 것이 너냐
너는 잎에 푸른 것이 너냐
너는 丹楓에 醉한 것이 너냐
너는 白雪에 깨인 것이 너냐

나는 너의 沈黙을 잘 안다
너는 철모르는 아해들에게 종작없는 讚美를 받으면서 시쁜 웃음을 참고 고요히 있는 줄을 나는 잘 안다

그러나 너는 天堂이나 地獄이나 하나만 가지고 있으려므나
꿈 없는 잠처럼 깨끗하고 單純하란 말이다
나도 짧은 갈고리로 江건너의 꽃을 꺾는다고 큰말하는 미친 사람은 아니다 그래서 沈着하고 單純하려고 한다
나는 너의 입김에 불려오는 조각 구름에 키스한다

萬二千峰 - 無恙하냐 金剛山아
너는 너의 님이 어디서 무엇을 하는지 모르지

MONTO KUMGANGSAN[8]*

Dekdu mil da montpintoj! Ĉu bonfartas vi, monto Kumgangsan!

Ĉu vi scias, kie via karulo estas, kaj kion li faras?

Vi ne scios, ke via karulo, pro vi, bruligas en brulanta fajrero el sia brusto ĉiujn; religion, filozofion, honoron, posedaĵon, kaj tiel plu laŭekzistan.

Ĉu vi estas tiu, kiu ruĝas je floro?

Ĉu vi estas tiu, kiu verdas je folio?

Ĉu vi estas tiu, kiu ebrias je acero?

Ĉu vi estas tiu, kiu vekiĝas je blankneĝo?

Mi bone scias vian silenton.

Mi bone scias, ke vi, ricevante senkonjekteblan ĉanton, trankviliĝas, eltenante nekonteblan ridon.

Sed vi havu unu el du; paradizon aŭ inferon.

Estu ja pura kaj simpla kiel dormo sen sonĝo.

---

8) *MONTO KUMGANGSAN: La monto altas je 1638m, unu el plej belaj montoj de Korea duoninsulo. Ĝi nun apartenas al Norda Koreujo.

Mi ne estas tia frenezulo, kiu fanfaronas, ke oni deŝiras transriveran floron per kroĉileto. Kaj tial mi deziras esti trankvila kaj simpligita.

Mi kisas ĉe la peca nubo blovita de via spiro.

Dekdu mil da montpintoj! Ĉu bonfartas vi, monto Kumgangsan!

Vi ne scias, kie via karulo estas, kaj kion li faras.

後悔

당신이 계실 때에 알뜰한 사랑을 못하였습니다
사랑보다 믿음이 많고 즐거움보다 조심이 더하였습니다
게다가 나의 性格이 冷淡하고 더구나 가난에 쫓겨서 병들어 누운 당신에게 도리어 疎濶하였습니다
그러므로 당신이 가신 뒤에 떠난 근심보다 뉘우치는 눈물이 많습니다

PENTO

Kiam vi ekloĝis ĉe mi, mi servis vin kun neplena amo.
Multiĝis mia kredo pli ol mia amo, pliiĝis memzorgo ol ĝojo.
Krome, por vi, kiu kuŝis pro malsano, male, mi pro mia malvarma karaktero, pro mia malriĉo servis vin en nezorga amo.
Kiam vi forlasis min, tial, pentlarmo pliiĝis ol forlasita zorgamo.

님의 얼굴

님의 얼굴을 「어여쁘다」고 하는 말은 適當한 말이 아닙니다
어여쁘다는 말은 人間 사람의 얼굴에 대한 말이요 님은 人間의 것이라고 할 수가 없을 만치 어여쁜 까닭입니다

自然은 어찌하여 그렇게 어여쁜 님을 人間으로 보냈는지 아무리 생각하여도 알 수가 없습니다
알겠습니다 自然의 가운데에는 님의 짝이 될 만한 무엇이 없는 까닭입니다

님의 입술 같은 連꽃이 어디 있어요 님의 살빛 같은 白玉이 어디 있어요
봄 湖水에서 님의 눈결 같은 잔물결을 보았습니까 아침볕에서 님의 微笑 같은 芳香을 들었습니까
天國의 音樂은 님의 노래의 反響입니다 아름다운 별들은 님의 눈빛의 化現입니다

아아 나는 님의 그림자여요
님은 님의 그림자밖에는 비길만한 것이 없습니다
님의 얼굴을 어여쁘다고 하는 말은 適當한 말이 아닙니다

VIZAĜO DE LA KARULO

Ne estas adekvata diro, ke vizaĝo de la karulo estas <bela>.

Ĉar la vorto bela temas por vizaĝo de la homo, kaj la karulo estas tiel bela, ke lia beleco ne estas posedaĵo de la homoj.

Mi ne scias, kial la naturo sendis al homoj tiel belegan karulon.

Mi ekscias. Ĉar en la naturo ne troveblas io, kio povas esti partnero de la karulo.

Kie troviĝas lotusfloroj samkiel lipoj de la karulo? Kie troviĝas blankperlo samkiel haŭtkoloro de la karulo?

Ĉu vi vidis ondetojn samkiel okullumetojn de la karulo en printempa lago? Ĉu vi aŭdis aromon samkiel rideton de la karulo en matena suno?

Muziko de paradizo estas eĥo de kanto de la karulo.

Belaj steloj estas enkarniĝo de okullumo de la karulo.

Ha! Mi estas ombro de la karulo.

La karulo neniel konkuras kun io, krom kun la ombro de la karulo.

Ne estas adekvata diro, ke bela estas vizaĝo de la karulo.

樂園은 가시덤풀에서

죽은 줄 알았던 매화나무 가지에 구슬 같은 꽃방울을 맺혀 주는 쇠잔한 눈 위에 가만히 오는 봄 기운은 아름답기도 합니다

그러나 그밖에 다른 하늘에서 오는 알수 없는 향기는, 모든 꽃의 죽음을 가지고 다니는 쇠잔한 눈이 주는 줄을 아십니까

구름은 가늘고 시내물은 옅고 가을 산은 비었는데 파리한 바위 사이에 실컷 붉은 단풍은 곱기도 합니다

그러나 단풍은 노래도 부르고 울음도 웁니다 그러한 「自然의 人生」은, 가을 바람의 꿈을 따라 사라지고 記憶에만 남아 있는 지난 여름의 무르녹은 綠陰이 주는 줄을 아십니까

一莖草가 丈六金身이 되고 丈六金身이 一莖草가 됩니다

天地는 한 보금자리요 萬有는 같은 小鳥입니다

나는 自然의 거울에 人生을 비춰보았습니다

苦痛의 가시덤풀 뒤에 歡喜의 樂園을 建設하기 위하여 님을 떠난 나는 아아 幸福입니다

PARADIZO EN LA DORNEJO

Eĉ belas ke kviete venas printempetoso, kio faras burĝonetojn, kiel perlojn, el branĉoj de prunarbo, kiu sciate jam mortis sur malforte velka neĝo.

Ĉu vi scias, sed, ke la aromo nesciata, venanta el cetera alia ĉielo estas donita de malforte velka neĝo, kiu kunportas morton de ĉiuj floroj?

Nubo mallarĝas, rivereto malprofundas, kaj aŭtuna monto malplenas, sed belegas plenruĝa acero inter palaj rokoj.

Sed la acero kaj kantas kaj ploras. Ĉu vi scias, ke tia <vivo de la naturo> estas donita de la densa verdombro de pasinta somero, kiu forlasis sekvante sonĝon de aŭtunvento, kaj restas nur en la memoro?

Herbeto iĝas alta orkorpo, alta orkorpo iĝas herbeto.

Universo estas unu nesto, ĉio de la universo estas sama birdeto.

Mi trarigardis mian vivon en spegulo de la naturo.

Mi, kiu forlasis la karulon por konstrui paradizon de ĝojego post dornejo de sufero, -ha!- estas feliĉo.

참말인가요

그것이 참말인가요 님이여 속임없이 말씀하여 주셔요
당신을 나에게서 빼앗아 간 사람들이 당신을 보고 「그대는 님이 없다」고 하였다지요
그래서 당신은 남 모르는 곳에서 울다가 남이 보면 울음을 웃음으로 변한다지요
사람의 우는 것은 견딜 수가 없는 것인데 울기조차 마음대로 못하고 웃음으로 변하는 것은 죽음의 맛보다도 더 쓴 것입니다
그러면 나는 그것을 변명하지 않고는 견딜 수가 없습니다
나의 生命의 꽃가지를 있는대로 꺾어서 花環을 만들어 당신의 목에 걸고 「이것이 님의 님이라」고 소리쳐 말하겠습니다

그것이 참말인가요 님이여 속임없이 말씀하여 주셔요
당신을 나에게서 빼앗아 간 사람들이 당신을 보고 「그대의 님은 우리가 구하여준다」고 하였다지요
그래서 당신은 「獨身生活을 하겠다」고 하였다지요
그러면 나는 그들에게 분풀이를 하지 않고는 견딜 수가 없습니다
많지 않은 나의 피를 더운 눈물에 섞어서 피에 목마른 그들의 칼에 뿌리고 「이것이 님의 님이라」고 울음 섞어서 말하겠습니다

ĈU ESTAS VERO?

Ĉu tio estas vero? Karulo, parolu sen mensogo.

Homoj, kiuj deprenis de mi vin, vidante vin, diris al vi: "Vi ne havas karulinon."

Kaj mi aŭdis, ke dum vi ploras en loko nekonata de aliuloj, se aliuloj vidas vin, vi faras ploron al rido.

Ploro de la homo estas neeltenebla, tamen vi eĉ ne libervole ploras, aldone aliformiĝo de ploro al rido estas pli maldolĉa ol gusto de morto.

Se tia, mi ne povas elteni tion sen preteksto.

Mi deŝiru mian laŭekzistajn florarbajn branĉojn, faru florkronon kaj pendigu ĝin en via kolo, kaj mi diru laŭte: "Tiu ĉi estas karulino de la karulo."

Ĉu tio estas vero? Karulo, parolu sen mensogo.

Homoj, kiuj deprenis de mi vin, vidante vin, kaj diris al vi: "Ni prezentu al vi karulinon."

Kaj mi aŭdis, ke tiam vi diris: "Mi sola vivos."

Se tia, mi neniel eltenos sen koleriĝo.

Mi miksu mian nemalmultan sangon kun

varmega larmo, disĵetu ĝin al ilia sang-soifanta glavo, kaj mi plordiru: "Tiu ĉi estas karulino de la karulo."

꿈이라면

사랑의 束縛이 꿈이라면
出世의 解脫도 꿈입니다
웃음과 눈물이 꿈이라면
無心의 光明도 꿈입니다
一切萬法이 꿈이라면
사랑의 꿈에서 不滅을 얻겠습니다

SE SONĜO ESTAS

Se jugo de la amo estas sonĝo,
ankaŭ nirvano de socia sukceso estas sonĝo.
Se rido kaj larmo estas sonĝoj,
ankaŭ lumo de senkoro estas sonĝo.
Se tutaj leĝoj estas sonĝoj,
mi gajnos senpereon el la sonĝo de la amo.

讚頌

님이여 당신은 百番이나 鍛鍊한 金결입니다
뽕나무 뿌리가 珊瑚가 되도록 天國의 사랑을 받읍소서
님이여 사랑이여 아침볕의 첫걸음이여

님이여 당신은 義가 무겁고 黃金이 가벼운 것을 잘 아십니다
거지의 거친 밭에 福의 씨를 뿌리옵소서
님이여 사랑이여 옛 梧桐의 숨은 소리여

님이여 당신은 봄과 光明과 平和를 좋아하십니다
弱者의 가슴에 눈물을 뿌리는 慈悲의 菩薩이 되옵소서
님이여 사랑이여 얼음바다에 봄바람이여

ĈANTO

Karulo, vi estas centfoja hardita orondo.
Estu benita de la amo de paradizo ĝis tiam, kiam radikoj de moruso fariĝos koraloj.
Karulo, la amo, la unua paŝo de matena suno!

Karulo, ĉu vi bone scias, ke la justeco estas peza, kaj la oro estas malpeza?
Estu disdonita de la semo de feliĉo sur krudan kampon de almozulo.
Karulo, la amo, la kaŝita voĉo de la sterkulio!

Karulo, vi ŝatas kaj printempon kaj lumon kaj la pacon.
Estu bodisatvo de korfavoro, kiu dissemas ploron en brusto de malfortulo.
Karulo, la amo, la printempvento de glacimaro!

論介의 愛人이 되어서 그의 廟에

날과 밤으로 흐르고 흐르는 南江은 가지 않습니다

바람과 비에 우두커니 섯는 矗石樓는 살 같은 光陰을 따라서 다름질칩니다

論介여 나에게 울음과 웃음을 同時에 주는 사랑하는 論介여

그대는 朝鮮의 무덤 가운데 피였던 좋은 꽃의 하나이다 그래서 그 향기는 썩지 않는다

나는 詩人으로 그대의 愛人이 되었노라

그대는 어디 있느뇨 죽지 않은 그대가 이 세상에는 없고나

나는 黃金의 칼에 베혀진 꽃과 같이 향기롭고 애처로운 그대의 當年을 回想한다

술 향기에 목맺힌 고요한 노래는 獄에 묻힌 썩은 칼을 울렸다

춤추는 소매를 안고 도는 무서운 찬바람은 鬼神나라의 꽃수풀을 거쳐서 떨어지는 해를 얼렸다

가냘픈 그대의 마음은 비록 沈着하였지만 떨리는 것보다도 더욱 무서웠다

아름답고 無毒한 그대의 눈은 비록 웃었지만 우는 것보다도 더욱 슬펐다

붉은 듯하다가 푸르고 푸른 듯하다가 희어지며 가늘게 떨리는 그대의 입술은 웃음의 朝雲이냐 울음의 暮雨이냐 새벽달의 秘密이냐 이슬꽃의 象徵이냐

삐비 같은 그대의 손에 꺾이지 못한 落花臺의 남은 꽃은 부끄러움에 醉하여 얼굴이 붉었다

玉 같은 그대의 발꿈치에 밟힌 江언덕의 묵은 이끼는 驕矜에 넘처서 푸른 紗籠으로 自己의 題銘을 가리었다

아아 나는 그대도 없는 빈 무덤 같은 집을 그대의 집이라고 부릅니다

만일 이름뿐이나마 그대의 집도 없으면 그대의 이름을 불러 볼 機會가 없는 까닭입니다

나는 꽃을 사랑합니다마는 그대의 집에 피어 있는 꽃을 꺾을 수는 없습니다

그대의 집에 피어 있는 꽃을 꺾으려면 나의 창자가 먼저 꺾여지는 까닭입니다

나는 꽃을 사랑합니다마는 그대의 집에 꽃을 심을 수는 없습니다

그대의 집에 꽃을 심으려면 나의 가슴에 가시가 먼저 심어지는 까닭입니다

容恕하여요 論介여 金石 같은 굳은 언약을 저바린 것은 그대가 아니요 나입니다

容恕하여요 論介여 쓸쓸하고 호젓한 잠자리에 외로히 누워서 끼친 恨에 울고 있는 것은 내가 아니고 그대입니다

나의 가슴에 「사랑」의 글자를 黃金으로 새겨서 그대의 祠堂에 紀念碑를 세운들 그대에게 무슨위로가 되오리까

나의 노래에 「눈물」의 曲調를 烙印으로 찍어서 그대의 祠堂에 祭鍾을 올린대도 나에게 무슨 贖罪가 되오

리까

나는 다만 그대의 遺言대로 그대에게다 하지 못한 사랑을 永遠히 다른 女子에게 주지 아니할 뿐입니다 그것은 그대의 얼굴과 같이 잊을 수가 없는 盟誓입니다

容恕하여요 論介여 그대가 容恕하면 나의 罪는 神에게 懺悔를 아니한대도 사라지겠습니다

千秋에 죽지 않는 論介여

하루도 살 수 없는 論介여

그대를 사랑하는 나의 마음이 얼마나 즐거우며 얼마나 슬프겠는가

나는 웃음이 겨워서 눈물이 되고 눈물이 겨워서 웃음이 됩니다

容恕하여요 사랑하는 오오 論介여

FARIĜINTE AMATO DE NONGE[9], ĈE ŜIA TOMBO

Ne iras rivero Namkang[10], kiu fluas, fluas tage-nokte.

Rapidkuregas laŭ tempo kiel arkaĵo turo

---

9) *Nonge(?-1593): Justa artistino en 16-a jarcento en la periodo Ĉoson. Dum japana invado(1592-1598) al Koreujo, japana armeo faris du batalojn en kastelo Ĝinĝu, situata en suda Koreujo: En la unua batalo(okt.1592) japana armeo atakis la kastelon, tamen en la kastelo loĝis la armeo de Ĉoson kun multaj loĝantoj kaj memvolaj soldatoj. Post ses tagoj da batalo, japana armeo, malvenkinte, forlasis tiun kastelon. Sed en junio, jaro 1593, en la dua batalo, japana armeo celis denove fali la kastelon. Kaj dum dek kvin tagoj la popolanoj de la kastelo(3,400 soldatoj kaj 60,000 loĝantoj) sin defendis kontraŭ japana armeo. Tamen fine la kastelo falis sub la manoj de la malamiko, kaj la venkinto masakris nombre ĉ. 60,000 loĝantojn. Kaj la ĉefaj japanaj generaloj kolektiĝis en sia venkfesto en la turo Ĉoksokru. Tiam Nonge, kiel artistino, devige partoprenis tie, kaj profitante la feston, Nonge sinmortigis kunprenante japanan generalon Geyamura Rokuske por tio, ke Nonge venĝu por siaj loĝantoj-defendantoj de la kastelo. Kaj post la milito, la lando faris sanktejon tie por karmemori forpasintan patriotinon Nonge.

10) *rivero Namkang: Unu el la branĉoj de rivero Nakdongkang(525km), kiu estas la dua plejlonga rivero en Koreujo. La rivero Namkang fluas al la Flava maro de Koreujo.

Ĉoksokru[11] senkonsile staranta de vento kaj pluvo.

Non-ge, amata Nonge, kiu samtempe donas al mi kaj larmon kaj ridon!

Vi estas unu bona floro, el florintaj floroj inter tomboj de periodo Ĉoson[12]. Tial la aromo ne putras.

Mi, kiel poeto, fariĝas via amato.

Kie vi estas? Vi senmorta ne troviĝas en tiu ĉi mondo.

Mi rememoras vian aroman, kompatan vivon, samkiel floro tranĉita de orglavo.

Trankvila kanto plorgorĝa je vinaromo plorigis putran glavon subterigita je malliberejo.

Timega malvarma vento rondiranta ĉirkaŭante dancantan manikon glaciigis falantan sunon tra florarbusto de la demonlando.

Via maldika koro, malgraŭ ke vi trankvilis, estis pli timanta ol tremiga.

Viaj belaj kaj sentoksaj okuloj, malgraŭ ke vi ridis, estis pli tristaj ol plorigaj.

Ĉu viaj malforte tremantaj lipoj jen

---

11) *turo Ĉoksokru: La turon oni konstruis en jaro 1365, en Japana invado(1593) justa artistino Nonge patriote sinmortigis en tiu turo.

12) *periodo Ĉoson: La periodo daŭris dum 519 jaroj(1392-1910) post la periodo Korjo(918~1392).

kvazaŭruĝaj-bluaj, jen kvazaŭbluaj-blankaj estas aŭ matennubo de rido, aŭ vesperpluvo de ploro, aŭ sekreto de frumatena luno, aŭ simbolo de rosofloro?

La ankoraŭ postlasitaj floroj ĉe la Florfala Altaro, kiujn vi hazarde ne tranĉis per viaj manoj, samkiel printempaj herbetoj, vizaĝruĝiĝis pro plena hontemo.

La malnove restanta musko de riverborda deklivo, piedpremita de viaj kalkanumoj, samkiel perloj, superfluante de memfiero, kovris sian titolnomon per sia blua silkokesto.

Ha, mi nomas via hejmo vakan tombecan domon, kie vi ne loĝas.

Ĉar se eĉ almenaŭ ne nomita ne estus via hejmo, mi ne havas okazon voki vian nomon.

Mi amas floron, sed mi ne povas deŝiri la floron en via hejmo.

Ĉar se mi dezirus deŝiri la floron en via hejmo, tiam mia intesto pli frue estus deŝirita.

Mi amas floron, sed mi ne povas planti floron en via hejmo.

Ĉar se mi dezirus planti floron en via hejmo, la dorno en mia brusto pli frue estus plantita.

Pardonu, Nonge! Ne estas vi, sed mi, kiu forĵetis firman promeson kiel orŝtonon.

Pardonu, Nonge! Ne estas mi, sed vi, kiu, kuŝinte sola en soleca kaj kvieta dormejo, ploras pro influita rankoro.

Kiu konsolo efikus al vi, eĉ se mi, gravurinte per oro la vorton <la amo> en mia brusto, starigus monumenton en via sanktejo?

Kiu pekrekompenco efikus al mi, eĉ se mi, stigmatizite melodion <la larmo> en mia kanto, tintus festsonorilon en via sankta turo?

Mi nur, laŭ via mortvorto, neniam eterne donu al aliaj virinoj neplenumitan amon al vi.

Ĉar tio estas neforgesenda ĵuro samkiel via vizaĝo.

Pardonu, Nonge! Se vi pardonos min, mia peko malaperos, malgraŭ tio, ke mi ne pentofaras al dio.

Nonge, senmorta en mil aŭtunoj,

Nonge, nevivebla eĉ unu tagon!

Kiel ĝojas kaj kiel tristas mia koro amanta vin?

Mi larmas pro neretenebla rido, ridas pro neretenebla larmo.

Pardonu, amata -ho!-Nonge!

사랑하는 까닭

내가 당신을 사랑하는 것은 까닭이 없는 것이 아닙니다
다른 사람들은 나의 紅顔만을 사랑하지마는 당신은 나의 白髮도 사랑하는 까닭입니다

내가 당신을 그리워하는 것은 까닭이 없는 것이 아닙니다
다른 사람들은 나의 微笑만을 사랑하지마는 당신은 나의 눈물도 사랑하는 까닭입니다

내가 당신을 기다리는 것은 까닭이 없는 것이 아닙니다
다른 사람들은 나의 健康만을 사랑하지마는 당신은 나의 죽음도 사랑하는 까닭입니다

KAŬZO DE LA AMO

Ne malestas kaŭzo, ke mi amas vin.
Ĉar aliuloj amas nur mian ruĝvizaĝon, tamen vi amas ankaŭ mian blankhararon.

Ne malestas kaŭzo, ke mi sopiras vin.
Ĉar aliuloj amas nur mian ridon, tamen vi amas ankaŭ mian larmon.

Ne malestas kaŭzo, ke mi atendas vin.
Ĉar aliuloj amas nur mian sanon, tamen vi amas ankaŭ mian morton.

당신의 편지

당신의 편지가 왔다기에 꽃밭 매던 호미를 놓고 떼어 보았습니다
그 편지는 글씨는 가늘고 글줄은 많으나 사연은 간단합니다
만일 님이 쓰신 편지이면 글은 짧을지라도 사연은 길 터인데

당신의 편지가 왔다기에 바느질그릇을 치워놓고 떼어 보았습니다
그 편지는 나에게 잘 있느냐고만 묻고 언제 오신다는 말은 조금도 없습니다
만일 님이 쓰신 편지이면 나의 일은 묻지 않더라도 언제 오신다는 말을 먼저 썼을 터인데

당신의 편지가 왔다기에 약을 달이다 말고 떼어 보았습니다
그 편지는 당신의 住所는 다른 나라의 軍艦입니다
만일 님이 쓰신 편지이면 님의 軍艦에 있는 것이 사실이라 할지라도 편지에는 軍艦에서 떠났다고 하였을 터인데

VIA LETERO

Apenaŭ via letero atingis, mi malfermis la koverton, demetinte sarkilon en florĝardeno, kie mi laboris.

Literoj de la letero maldikis, enhavo estis multlinia, sed rakonto estis simpla.

Se vi mem verkus la leteron, enhavo mallongus, tamen rakonto longus.

Apenaŭ via letero atingis, mi malfermis la koverton, flankeniginte kudrartan keston, kie mi laboris.

La letero nur demandis, ĉu mi fartas bone, sed neniom temis, kiam vi venos.

Se vi mem verkus la leteron, la letero temis unue, kiam vi venos, eĉ nedemandante pri mia afero.

Apenaŭ via letero atingis, mi malfermis ĝian koverton, ĉesiginte boligon de medikamento, por kiu mi laboris.

En la letero via adreso estas la militŝipo de fremda lando.

Se vi mem verkus la leteron, la letero skribiĝus, ke vi jam forlasis la militŝipon, kvankam vi fakte ankoraŭ loĝas tie.

거짓 이별

당신과 나와 이별한 때가 언제인지 아십니까
가령 우리가 좋을 대로 말하는 것과 같이 거짓 이별이라 할지라도 나의 입술이 당신의 입술에 닿지 못하는 것은 事實입니다
이 거짓 이별은 언제나 우리에게서 떠날 것인가요
한 해 두 해 가는 것이 얼마 아니된다고 할 수가 없습니다
시들어가는 두 볼의 桃花가 無情한 봄바람에 몇번이나 스쳐서 落花가 될까요
灰色이 되어가는 두 귀밑의 푸른 구름이 쪼이는 가을 볕에 얼마나 바래서 白雪이 될까요

머리는 희어가도 마음은 붉어갑니다
피는 식어가도 눈물은 더워갑니다
사랑의 언덕엔 사태가 나도 希望의 바다엔 물결이 뛰놀아요

이른바 거짓 이별이 언제든지 우리에게서 떠날 줄만은 알아요
그러나 한 손으로 이별을 가지고 가는 날은 또 한 손으로 죽음을 가지고 와요

NEVERA FORLASO

Ĉu vi scias, kiam vi kaj mi forlasis?

Ekzemple, same kiel ni diras laŭvole, eĉ ĉe nevera forlaso, estas fakto, ke miaj lipoj ne povas atingi la viajn.

Kiam tiu ĉi nevera forlaso forflugus de ni?

Ne estas mallonga tempo, ke pasas jen unu jaro, jen du jaroj.

Kiom da trablovoj de senkora printempovento faras falantaj floroj la velkiĝantajn persikflorojn de du vangoj?

Kiom da velkiĝoj de griziĝantaj bluaj nuboj sub du oreloj fariĝas blankaj neĝeroj je radianta aŭtunsuno?

Haro pliblankiĝas, koro pliruĝiĝas.

Sango malvarmiĝas, larmo varmiĝas.

La falo okazas en deklivo de amo, la ondo ludas en maro de espero.

Mi scias, ke tiel nomata nevera forlaso iam ajn forflugos de ni.

Tago jen portas forlason per unu mano, jen portas morton per alia mano.

달을 보며

달은 밝고 당신이 하도 그리웠습니다
자던 옷을 고쳐 입고 뜰에 나와 퍼지르고 앉아서 달을 한참 보았습니다

달은 차차차 당신의 얼굴이 되더니 넓은 이마 둥근 코 아름다운 수염이 역력히 보입니다
간해에는 당신의 얼굴이 달로 보이더니 오늘 밤에는 달이 당신의 얼굴이 됩니다

당신의 얼굴이 달이기에 나의 얼굴도 달이 되었습니다
나의 얼굴은 그믐달이 된 줄을 당신이 아십니까
아아 당신의 얼굴이 달이기에 나의 얼굴도 달이 되었습니다

RIGARDANTE LA LUNON

La luno brilis, kaj mi ege sopiris vin.

Dormvestaĵon ordiginte, mi eliris enkorten, eksidis komforte kaj rigardis la lunon longe.

La luno iom-post-iom fariĝis via vizaĝo, kaj klarvidiĝas larĝa frunto, ronda nazo kaj bela barbo.

En lasta jaro via vizaĝo vidiĝis kiel la luno, ĉi-nokte la luno fariĝis via vizaĝo.

Ĉar via vizaĝo estis luno, ankaŭ mia vizaĝo fariĝis luno.

Ĉu vi scias, ke mia vizaĝo fariĝis lasta kvaronluno?

Ha, ĉar via vizaĝo estis luno, ankaŭ mia vizaĝo fariĝis luno.

因果律

당신은 옛 盟誓를 깨치고 가십니다

당신의 盟誓는 얼마나 참되었습니까 그 盟誓를 깨치고 가는 이별은 믿을 수가 없습니다

참 盟誓를 깨치고 가는 이별은 옛 盟誓로 돌아올 줄을 암니다 그것은 嚴肅한 因果律입니다

나는 당신과 떠날 때에 입맞춘 입술이 마르기 전에 당신이 돌아와서 다시 입맞추기를 기다립니다

그러나 당신이 가시는 것은 옛 盟誓를 깨치려는 故意가 아닌 줄을 나는 암니다

비겨 당신이 지금의 이별을 永遠히 깨치지 않는다 하여도 당신의 最後의 接觸을 받은 나의 입술을 다른 男子의 입술에 대일 수는 없습니다

LA LEĜO DE KAŬZECO

Vi iras frakasante la malnovan ĵuron.

Kiel vera estis via ĵuro? Ne kredeblas la forlaso, kiu iras frakasante la ĵuron.

La forlaso iranta frakasante la veran ĵuron, mi scias, revenos al la malnova ĵuro. Tio estas severa leĝo de kaŭzeco.

Mi atendu, ke vi, revenonte, rekisos min, antaŭ ol ne sekiĝos miaj kisitaj lipoj kun vi je via forlaso.

Sed via iremo ne estas, mi scias, intenca frakasemo de la malnova ĵuro.

Kompare, eĉ se vi eterne ne frakasus nunan forlason, miaj lipoj, kiujn vi kontaktis laste, ne povas tuŝi tiujn de aliaj viroj.

잠꼬대

「사랑이라는 것은 다 무엇이냐 진정한 사람에게는 눈물도 없고 웃음도 없는 것이다

사랑의 뒤웅박을 발길로 차서 깨뜨려버리고 눈물과 웃음을 티끌 속에 合葬을 하여라

理智와 感情을 두드려 깨처서 가루를 만들어버려라

그리고 虛無의 絶頂에 올너가서 어지럽게 춤추고 미치게 노래하여라

그리고 愛人과 惡魔를 똑같이 술을 먹여라

그리고 天癡가 되던지 미치광이가 되던지 산송장이 되던지 하여버려라

그래 너는 죽어도 사랑이라는 것은 버릴 수가 없단 말이냐

그렇거든 사랑의 꽁문이에 도롱태를 달아라

그래서 네 멋대로 끌고 돌아다니다가 쉬고 싶거든 쉬고 자고 싶거든 자고 살고 싶거든 살고 죽고 싶거든 죽어라

사랑의 발바닥에 말목을 쳐놓고 붙들고 서서 엉엉 우는 것은 우스운 일이다

이 세상에는 이마빡에다 「님」이라고 새기고 다니는 사람은 하나도 없다

戀愛는 絶對自由요 貞操는 流動이요 結婚式場은 林間이다」

나는 잠결에 큰 소리로 이렇게 부르짖었다

아아 惑星 같이 빛나는 님의 微笑는 黑闇의 光線에서 채 사라지지 아니하였습니다

잠의 나라에서 몸부림치던 사랑의 눈물은 어느덧 베개를 적셨습니다

容恕하셔요 님이여 아무리 잠이 지은 허물이라도 님이 罰을 주신다면 그 罰을 잠을 주기는 싫습니다

DELIRO

Kio estas, do, la amo? Ne larmo nek rido estas en la vera amo.

Disbatu globforman kalabason de la amo per piedbatoj, kaj kune funebru en la polvo larmon kaj ridon.

Disbatu la racion kaj la senton, kaj faru ilin al pulvoroj.

Kaj, grimpinte kulminon de vaneco, dancu duonsvene kaj kantu freneze.

Kaj ebriigu egale kaj la amaton kaj la demonon.

Kaj fariĝu jen malsaĝulo, jen frenezulo, jen vivanta mortulo.

Ĉu vi ne forĵetos la amon, malgraŭ tio, ke vi mortas?

Se tia, metu radojn de amvosto.

Kaj dum vi laŭ via volo peligu ĝin, jen ripozu, kiam vi deziras ripozi, jen dormu, kiam vi deziras dormi, jen vivu, kiam vi deziras vivi, jen mortu, kiam vi deziras morti.

Estas ridinda afero, ke vi ploradas, starigante kaj tenante palison en piedplatoj de la amo.

Estas neniu, kiu iradas skribinte kaj

kunportinte <la karulon> sur fruntaĉo.

<Fidela amo estas absoluta libero, virgeco estas fluaĵo, kaj la geedziĝa ceremoniejo estas interarbaro.>

Mi tiel ĉi laŭte diris en la dormo.

Ha, rideto de la karulo, brilanta kiel la planedo, ankoraŭ ne malaperis en lumstrio de mallumo.

Jam malsekiĝis pajla kapkuseno pro larmo de la amo luktanta en la lando de dormo.

Pardonu, karulo! Eĉ se vi donus al mi punon pro la peko kaŭzita de la dormo, sed mi ne donu tiun punon al dormo.

桂月香에게

桂月香이여 그대는 아리땁고 무서운 最後의 微笑를 거두지 아니한 채로 大地의 寢臺에 잠들었습니다

나는 그대의 多情을 슬퍼하고 그대의 無情을 사랑합니다

大洞江에 낚시질하는 사람은 그대의 노래를 듣고 牧丹峰에 밤놀이하는 사람은 그대의 얼굴을 봅니다

아해들은 그대의 산 이름을 외우고 詩人은 그대의 죽은 그림자를 노래합니다

사람은 반드시 다하지 못한 恨을 끼치고 가게 되는 것이다

그대의 남은 恨이 있는가 없는가 있다면 그 恨은 무엇인가

그대는 하고 싶은 말을 하지 않습니다

그대의 붉은 恨은 絢爛한 저녁놀이 되어서 하늘길을 가로막고 荒凉한 떨어지는 날은 돌이키고저 합니다

그대의 푸른 근심은 드리고 드린 버들실이 되어서 꽃다은 무리를 뒤에 두고 運命의 길을 떠나는 저문 봄을 잡아매려 합니다

나는 黃金의 소반에 아침볕을 바치고 梅花가지에 새 봄을 걸어서 그대의 잠자는 곁에 가만히 놓아 드리겠습니다

자 그러면 속하면 하룻밤 더디면 한겨울 사랑하는 桂月香이여

AL KEŬOLHJANG[13]*

Vi, Keŭolhjang, dormis en lito de la tero, ne forigante lastan rideton belan-timan.

Mi tristas je via varmkoro kaj amas vian senkoron.

Fiŝkaptanto ĉe rivero Tedongkang[14] aŭdas vian kanton, noktludanto en montpinto Moranbong[15]* vidas vian vizaĝon.

Infanoj parkeras vian vivantan nomon, poetoj prikantas vian mortan ombron.

La homo nepre forlasas influante neplenumitan rankoron.

Ĉu vi havas rankoron de aliulo, aŭ ne? Se havas, kio estas la rankoro?

---

13) *KEŬOLHJANG(? -1592): Fama artistino en Pyongyang, en periodo Ĉoson; kromedzino de provinca oficiro. En japana invado(1592-1598) al Koreujo, japana armeo agresis provincon Pyongyang, tiam unu el suboficiroj de japana generalo Konisi Yukinaga malpurigis ŝin, ŝia edzo venĝis tiun, kaj ŝi mem mortigis sin.

14) *rivero Tedongkang: La rivero longas je 450.3㎞, la 5-a plejlonga rivero el koreaj riveroj. Ĝi fluas tra provinco Pyongyang laŭ 620 siaj branĉoj.

15) *montpinto Moranbong: Fama loko en Pyongyang en norda parto de Koreujo.

Vi ne diras la vorton de deziro.

Via ruĝa rankoro fariĝas ensorĉanta vespera krepusko, barante ĉielvojon, kaj deziras retrostarigi vanan falantan tagon.

Via blua zorgo fariĝas plektita, plektita salikfadeno, lasante florecan amason malantaŭe, kaj deziras kapti malfruan printempon, kiu ekstartas vojon de la sorto.

Mi surmetos matenan sunlumon en ora manĝtablo, pendiginte novan printempon sur prunflora branĉo, kaj trankvile metos ĉe vi, dormanta.

Jen, Keŭolhjang, kiun mi amas, se rapide, unu nokton, aŭ se malrapide, unu vintron!

滿足

세상에 滿足이 있느냐 人生에게 滿足이 있느냐
있다면 나에게도 있으리라

세상에 滿足이 있기는 있지마는 사람의 앞에만 있다
距離는 사람의 팔 길이와 같고 速力은 사람의 걸음과 比例가 된다
滿足은 잡을래야 잡을 수도 없고 버릴래야 버릴 수도 없다

滿足을 얻고보면 얻은 것은 不滿足이오 滿足은 依然히 앞에 있다
滿足은 禹者나 聖者의 主觀的 所有가 아니면 弱者의 期待뿐이다
滿足은 언제든지 人生과 竪的 平行이다
나는 차라리 발꿈치를 돌려서 滿足의 묵은 자취를 밟을까 하노라

아아 나는 滿足을 얻었노라
아지랭이 같은 꿈과 金실 같은 幻想이 님 계신 꽃동산에 들릴 때에 아아 나는 滿足을 얻었노라

KONTENTO

Ĉu en la mondo ekzistas kontento? Ĉu en la vivo ekzistas kontento? Se ekzistas, ankaŭ en mi ĝi ekzistas.

En la mondo ekzistas kontento, tamen ĝi estas nur en la antaŭo de la homo. Distanco longas same je braklongo de la homo, rapideco proporcias kun la paŝo de la homo. Kontento ne kapteblas eĉ se oni dezirus kapti ĝin, kaj ĝi ne forĵeteblas, eĉ se oni dezirus forĵeti ĝin.

Se oni akirus kontenton, tiam tiu akiraĵo estas malkontento, la kontento nature ĉiam situas antaŭe.

Kontento estas aŭ subjektiva posedaĵo aŭ de malsaĝulo, aŭ de sanktulo, aŭ nura espero de malfortulo. Kontento estas ĉiam rekte paralela kun vivdaŭro. Mi, male, piediru malnovan spuron de kontento, turnante miajn kalkanumojn.

Ha! Mi akiris kontenton.

Ĝuste tiam, kiam sonĝo kiel varmvaporo kaj fantazio kiel orfadeno ekvizitis la florĝardenon, kie la karulo loĝadas, -ha!- mi akiris la kontenton.

나의 꿈

당신이 맑은 새벽에 나무 그늘 사이에서 산보할 때에 나의 꿈은 작은 별이 되어서 당신의 머리 위에 지키고 있겠습니다

당신이 여름날에 더위를 못 이기어 낮잠을 자거든 나의 꿈은 맑은 바람이 되어서 당신의 周圍에 떠돌겠습니다

당신이 고요한 가을밤에 그윽히 앉아서 글을 볼 때에 나의 꿈은 귀뚜라미가 되어서 책상 밑에서 「귀똘귀똘」 울겠습니다

MIA SONĜO

Kiam vi promenas en klara frumateno inter arbombroj, tiam mi eksonĝas, ke mi, fariĝante eta stelo, gardu super via kapo.

Kiam vi siestas en somera tago nevenkita de varmego, tiam mi eksonĝas, ke mi, fariĝante klara vento, ŝvebu ĉirkaŭ via korpo.

Kiam vi eklegas libron, sidante en kvieta aŭtunnokto, tiam mi eksonĝas, ke mi, fariĝante grilo, prikantu <kitul-kitul> sub skribtablo.

反比例

당신의 소리는 「沈默」인가요
당신이 노래를 부르지 아니하는 때에 당신의 노랫가락은 역력히 들립니다 그려
당신의 소리는 沈默이여요

당신의 얼굴은 「黑闇」인가요
내가 눈을 감은 때에 당신의 얼굴은 분명히 보입니다 그려
당신의 얼굴은 黑暗이여요

당신의 그림자는 「光明」인가요
당신의 그림자는 달이 넘어간 뒤에 어두운 창에 비칩니다 그려
당신의 그림자는 光明이어요

MALPROPORCIO

Ĉu via sono estas <silento>?
Kiam vi ne kantis kanton, tiam via kantmelodio aŭdeblas klare.
Via sono estas silento.

Ĉu via vizaĝo estas <mallumo>?
Kiam mi fermas miajn okulojn, tiam via vizaĝo videblas klare.
Via vizaĝo estas mallumo.

Ĉu via ombro estas <lumo>?
Post kiam la luno transiris, tiam via ombro vidiĝas en malluma fenestrovitro.
Via ombro estas lumo.

눈물

내가 본 사람 가운데는 눈물을 眞珠라고 하는 사람처럼 미친 사람은 없습니다

그 사람은 피를 紅寶石이라고 하는 사람보다도 더 미친 사람입니다

그것은 戀愛에 失敗하고 黑闇의 岐路에서 헤메는 늙은 處女가 아니면 神經이 畸形的으로 된 詩人의 말입니다

만일 눈물이 眞珠라면 나는 님이 信物로 주신 반지를 내놓고는 세상의 眞珠라는 眞珠는 다 티끌 속에 묻어버리겠습니다

나는 눈물로 裝飾한 玉佩를 보지 못하였습니다

나는 平和의 잔치에 눈물의 술을 마시는 것을 보지 못하였습니다

내가 본 사람 가운데는 눈물을 眞珠라고 하는 사람처럼 어리석은 사람은 없습니다

아니여요 님의 주신 눈물은 眞珠 눈물이여요

나는 나의 그림자가 나의 몸을 떠날 때까지 님을 위하여 眞珠 눈물을 흘리겠습니다

아아 나는 날마다날마다 눈물의 仙境에서 한숨의 玉笛을 듣습니다

나의 눈물은 百千 줄기라도 방울방울이 創造입니다

눈물의 구슬이여 한숨의 봄바람이여 사랑의 聖殿을

莊嚴하는 無等等의 寶物이여

아아 언제나 空間과 時間을 눈물로 채워서 사랑의 世界를 完成할까요

LARMO

Ne estas freneza inter miaj konatoj, krom tiu, kiu opinias larmon perlo.

Tiu estas pli freneza, ol alia homo, kiu opinias sangon ruĝa juvelo.

Tio estas aŭ diro de multaĝa knabino, kiu, malsukcesita de la enamiĝo, vagas en krucvojo de mallumo, aŭ diro de poeto kun kripla nervo.

Se larmo estus perlo, mi redonus la ringon, kiun la karulo donis al mi kiel kredaĵon de la karulo, mi enfosus mondajn tutajn perlojn en la polvon.

Mi ne vidis jadpendaĵojn ornamitajn de larmo.

Mi ne vidis trinkon de la vino farita el larmo en festo de la paco.

Ne estas malsaĝa inter miaj konatoj, krom tiu, kiu opinias larmon perlo.

Ne. Larmo donita de la karulo estas perlolarmo.

Mi ploru la perlolarmon por la karulo ĝis tiam, kiam mia ombro forlasos mian korpon.

Ha, mi aŭskultas tagon post tago la perlofluton de ĝemo en larmparadizo.

Eĉ se tio estus cento-milo da strioj, mia

larmo estas kreo je guto post guto.

Perlo el larmo, printempovento de ĝemo! La juvelo de senkompareco-kompareco majestanta sanktan paradizon!

Ha, kiam mi finkonstruu mondon de la amo plenigante per larmo la spacon kaj la tempon?

어디라도

아침에 일어나서 세수하려고 대야에 물을 떠다 놓으면 당신은 대야 안의 가는 물결이 되어서 나의 얼굴 그림자를 불쌍한 아기처럼 얼러줍니다

근심을 잊을까 하고 꽃동산에 거닐 때에 당신은 꽃 사이를 스쳐오는 봄바람이 되어서 시름없는 나의 마음에 꽃 향기를 묻혀 주고 갑니다

당신을 기다리다 못하여 잠자리에 누웠더니 당신은 고요한 어둔 빛이 되어서 나의 잔부끄러움을 살뜰이도 덮어 줍니다

어디라도 눈에 보이는 데마다 당신이 계시기에 눈을 감고 구름 위와 바다 밑을 찾아 보았습니다

당신은 微笑가 되어서 나의 마음에 숨었다가 나의 감은 눈에 입 맞추고 「네가 나를 보느냐」고 嘲弄합니다

IE AJN

Kiam mi portis akvon en pelvon, vekiĝinte matene, por lavi mian vizaĝon, tiam vi, fariĝinte mallarĝa ondaro en la pelvo, lulis mian vizaĝombron, kiel mizera infano.

Kiam mi promenis en flormonteto, pensante, ĉu mi forgesu la zorgon, tiam vi, fariĝinte printempvento trablovanta inter floroj, foriras lasinte floraromon en mian senzorgeman koron.

Kiam mi atendis vin, tamen ne plenumante atendon, mi kuŝis en dormejo, tiam vi, fariĝinte trankvilombra lumo, komforte kovris mian hontemon.

Ien ajn, kien mi vidas, tie vi estas, tial mi provis traserĉi okulfermante kaj supron de nubo kaj malsupron de maro.

Vi, fariĝinte rideto, kaŝinte vin ĉe mia koro, kisis miajn fermitajn okulojn, kaj ŝerĉis min: <Ĉu vi vidis min?>

떠날 때의 님의 얼굴

꽃은 떨어지는 향기가 아름답습니다
해는 지는 빛이 곱습니다
노래는 목맺힌 가락이 묘합니다
님은 떠날 때의 얼굴이 더욱 어여쁩니다

떠나신 뒤에 나의 幻想의 눈에 비치는 님의 얼굴은 눈물이 없는 눈으로는 바로 볼 수가 없을만치 어여쁠 것입니다

님의 떠날 때의 어여쁜 얼굴을 나의 눈에 새기겠습니다

님의 얼굴은 나를 울리기에는 너무도 야속한 듯 하지마는 님을 사랑하기 위하여는 나의 마음을 즐겁게 할 수가 없습니다

만일 그 어여쁜 얼굴이 永遠히 나의 눈을 떠난다면 그때의 슬픔은 우는 것보다도 아프겠습니다

VIZAĜO DE LA KARULO EN FORLASO

Floro belas je falanta aromo.
Suno belas je subenira lumo.
Kanto misteras je gorĝĝema melodio.
Karulo pli belas je sia forlaso.

Vizaĝo de la karulo, post forlaso, travidita de miaj fantaziaj okuloj, tiel belas, ke mi ne povos rigardi rekte per senlarmaj okuloj.

Belan vizaĝon de la karulo en forlaso mi gravuru en miaj okuloj.

Vizaĝo de la karulo tiom ŝajne senkoras, kiom ĝi plorigu min, tamen mi ne povas ĝojigi mian koron por ami la karulon.

Se tiu bela vizaĝo forlasus eterne miajn okulojn, tiama tristo pli dolorus ol plorado.

最初의 님

맨처음에 만난 님과 님은 누구이며 어느 때인가요
맨처음에 이별한 님과 님은 누구이며 어느 때인가요
맨처음에 만난 님과 님이 맨처음으로 이별하였습니까 다른 님과 님이 맨처음으로 이별하였습니까

나는 맨처음에 만난 님과 님이 맨처음으로 이별한 줄로 암니다
만나고 이별이 없는 것은 님이 아니라 나입니다
이별하고 만나지 않는 것은 님이 아니라 길가는 사람입니다
우리들은 님에 대하여 만날 때에 이별을 염려하고 이별할 때에 만남을 기약합니다
그것은 맨처음에 만난 님과 님이 다시 이별한 遺傳性의 痕跡입니다

그러므로 만나지 않는 것도 님이 아니요 이별이 없는 것도 님이 아닙니다
님은 만날 때에 웃음을 주고 떠날 때에 눈물을 줍니다
만날 때의 웃음보다 떠날 때의 눈물이 좋고 떠날 때의 눈물보다 다시 만나는 웃음이 좋습니다
아아 님이여 우리의 다시 만나는 웃음은 어느 때에 있습니까

LA KARULO EN KOMENCO

Kiuj gekaruloj renkontiĝis en komenco, kaj kiam? Kiuj gekaruloj forlasiĝis en komenco, kaj kiam? Ĉu por la unua vico forlasis la komence renkontitaj gekaruloj, aŭ ĉu por la unua vico forlasis aliaj gekaruloj?

Mi scias, ke forlasiĝis por la unua vico la komence renkontitaj gekaruloj.

Senforlaso post renkonto okazas ne en la karulo sed en mi.

Nerenkonto post forlaso okazas ne en la karulo sed en vojpaŝantoj.

Ni pri la karulo, kaj zorgas forlason en renkonto, kaj promesas renkonton en la forlaso. Tio estas ruino de heredeco, ke la komence renkontitaj gekaruloj ree forlasiĝis.

Tial, nerenkonto okazas ne en la karulo, senforlaso okazas nek en la karulo.

La karulo jen donas ridon en renkonto, jen donas larmon en forlaso.

Forlasa larmo estas pli bona ol renkonta rido, rerenkonta rido estas pli bona ol forlasa larmo.

Ha, karulo! En kiu tempo okazos nia rerenkonta rido?

두견새

두견새는 실컷 운다
울다가 못다 울면
피를 흘려 운다

이별한 恨이야 너뿐이랴마는
울래야 울지도 못하는 나는
두견새 못된 恨을 또 다시 어찌하리

야속한 두견새는
돌아갈 곳도 없는 나를 보고도
「不如歸 不如歸」

70. KUKOLO

Kukolo ploras plene.
Se kukolo ne plenumas plori,
kukolo ploras sange.

Eĉ se ne sola vi, kukolo, sentas forlasan rankoron,
eĉ mi neplora, malgraŭ plordeziro,
gutas rankoron de mia nekukoliĝo, refoje, kiel fari?

Senkora kukolo ploras, vidanta min,
eĉ havanta neniun lokon de reveno:
<Malsama reveno, malsama reveno.>

타골의 詩(GARDENISTO)를 읽고

벗이여 나의 벗이여 愛人의 무덤 위의 피어 있는 꽃처럼 나를 울리는 벗이여

작은 새의 자취도 없는 沙漠의 밤에 문득 만난 님처럼 나를 기쁘게 하는 벗이여

그대는 옛 무덤을 깨치고 하늘까지 사무치는 白骨의 香氣입니다

그대는 花環을 만들려고 떨어진 꽃을 줍다가 다른 가지에 걸려서 주운 꽃을 헤치고 부르는 絶望인 希望의 노래입니다

벗이여 깨어진 사랑에 우는 벗이여

눈물이 능히 떨어진 꽃을 옛 가지에 도로 피게 할 수는 없습니다

눈물을 떨어진 꽃에 뿌리지 말고 꽃나무 밑의 티끌에 뿌리서요

벗이여 나의 벗이여

죽음의 香氣가 아무리 좋다 하여도 白骨의 입술에 입맞출 수는 없습니다

그의 무덤을 黃金의 노래로 그물치지 마서요 무덤 위에 피 묻은 旗대를 세우서요

그러나 죽은 大地가 詩人의 노래를 거쳐서 움직이는 것을 봄바람은 말합니다

벗이여 부끄럽습니다 나는 그대의 노래를 들을 때에

어떻게 부끄럽고 떨리는지 모르겠습니다
　그것은 내가 나의 님을 떠나서 홀로 그 노래를 듣은
까닭입니다

LEGINTE POEMON <LA ĜARDENISTO> DE TAGORE[16)*]

---

16)*Tagore, Rabindranath(1861-1941): Hinda poeto, novelisto, filozofo kaj premiito de Premio Nobel(1913). Mi, tradukinto, sukcesis enmanigi anglan version de "La Ĝardenisto" de Rabindranath Tagore. Tamen mi ne enmanigis la Esperantigitan version. Mi ne scias, ĉu la verkinto scipovis legi Esperantigitan version de la poemo, aŭ ĉu li ĝuis legi la korean version de tiu poemaro kun la noto de la Esperantigita titolo, kiun la poeto Verda E Kim tradukis el angla lingvo. Fakte tiam, en 1920aj jaroj, la poeto Han Yong-Un havis multajn Esperantistojn-amikojn. Tial li menciis la vorton <Ĝardenisto> en sia poemo. Tiu aldonita Esperanta vorto <Ĝardenisto> sen supersigno de la originala poemo kondukis min pli entuziasme traduki la poemaron en Esperanton. Aldone feliĉe mia amiko, s-ro Emin Baro, Novzelandano, volonte helpis min traduki la anglan version de "La Ĝardenisto" en Esperanton.
Jen vidu anglan kaj Esperantigitan versiojn de "La Ĝardenisto" de Rabindranath Tagore.

(Jen la angla)
Rabindranath Tagore's "The Gardener"

Is that your call again?

The evening has come. Weariness clings round me like the arms of entreating love.

Do you call me?

I had given all my day to you, cruel mistress, must you also rob me of my night?

Somewhere there is an end to everything, and the loneness of the dark is one's own.

Must your voice cut through it and smite me?

Has the evening no music of sleep at your gate?

Do the silent-winged stars never climb the sky above your pitiless tower?

Do the flowers never drop on the dust in soft death in your garden?

Must you call me, you unquiet one?

Then let the sad eyes of love vainly watch and weep.

Let the lamp burn in the lonely house.

Let the ferry-boat take the weary labourers to their home.

I leave behind my dreams and I hasten to your call.

(Jen Esperantigita)
"La Ĝardenisto" verkita de Tagore

Ĉu estas via voko denove?

Jam vesperiĝis. Laco pendas ĉirkaŭ mi, kiel brakumo de sopira amo.

Ĉu vi vokas min?

Mi donis tutant tagon al vi, kruela mastrino, ĉu vi ankaŭ devige deziras mian nokton?

Ie estas la fino al ĉio, kaj soleco de mallumo apartenas al si mem.

Ĉu via voĉo devas trapasi ĝin kaj sorĉi min?

Ĉu vespero ne havas muzikon de dormo en la pordego?

Ĉu silentaj flugilaj steloj neniam grimpas la ĉielon sur via senhonta turo?

Ĉu la floroj neniam falas sur polvo en la dolĉa morto en via ĝardeno?

Ĉu denove devas voki min, vi, netrankvila

Amiko! Mia amiko! Min-ploriganta amiko, samkiel floranta floro sur tombo de amatino!

Min-ĝojiga amiko, samkiel la karulo, kiun mi renkontis subite en la nokto de sablaro eĉ sen spuro de birdeto!

Vi estas aromo de blanka osto sopirata ĝisĉielen, frakasinte malnovan tombon.

Vi estas kantata kanto de espero, samtempe de senesperiĝo en la momento, kiam vi, kolektanta falintajn florojn por fari florkronon, ekfalas okaze pro alia branĉo, kaj disĵetas jam kolektitajn florojn.

Amiko! Ploranta amiko pro rompita amo!

Larmo ne kapablas retroflorigi la jam falintajn florojn en malnovaj branĉoj.

Ne disĵetu larmon en la falintaj floroj, sed disĵetu ĝin en polvojn de malsupro de florarbo.

---

mastrino?

Tiam lasu tristajn okulojn de la amo vane rigardi kaj plori.

Lasu la lampon lumi en soleca domo.

Lasu pramboaton preni lacajn laboristojn al sia hejmo.

Mi lasas min malantaŭ miaj songoj kaj rapidigas min al via voko.

Amiko! Mia amiko!

Kvankam mortaromo estas ĉiel bona, mi ne povas kisi lipojn de blanka osto.

Ne faru reton por lia tombo per flavora kanto. Starigu sur la tombo sangitan flagposton.

Sed printempovento diras, ke senviva tero moviĝas tra kanto de poeto.

Amiko! Mi hontas. Mi ne scias, kiel mi hontas-tremas, kiam mi aŭskultas vian kanton.

Ĉar tio kaŭzas, ke mi sola aŭskultas la kanton, forlasinte mian karulon.

繡의 秘密

나는 당신의 옷을 다 지어 놓았습니다
심의도 짓고 도포도 짓고 자리옷도 지었습니다
짓지 아니한 것은 작은 주머니에 수 놓는 것뿐입니다

그 주머니는 나의 손 때가 많이 묻었습니다
짓다가 놓아두고 짓다가 놓아두고 한 까닭입니다
다른 사람들은 나의 바느질 솜씨가 없는 줄로 알지마는 그러한 비밀은 나밖에는 아는 사람이 없습니다
나는 마음이 아프고 쓰린 때에 주머니에 수를 놓으려면 나의 마음은 수 놓는 금실을 따라서 바늘구멍으로 들어가고 주머니 속에서 맑은 노래가 나와서 나의 마음이 됩니다
그리고 아직 이 세상에는 그 주머니에 넣을 만한 무슨 보물이 없습니다
이 작은 주머니는 짓기 싫어서 짓지 못하는 것이 아니라 짓고 싶어서 다 짓지 않는 것입니다

SEKRETO DE BRODAĴO

Mi jam elfaris vian vestaĵon.

Mi ja elfaris por vi rojalan surveston, redingoton, kaj dormveston.

Nur brodaĵon sur poŝeto mi ne ankoraŭ faris.

Tiu poŝeto jam tro makuliĝis pro manmalpuraĵo.

Ĉar mi ĝin fari komencis-poste-ĉesis, fari ĉesis-poste-rekomencis.

Aliuloj opinius, ke mia kudrarto ne lertas, tamen neniu krom mi scias tiun sekreton.

Kiam mi ekprovas brodi sur tiu poŝeto en mia malsana-maldolĉa koro, tiam mia koro eniras en orelon de kudrilo sekvata de ora brodfadeno, kaj klara kanto, elirante el tiu poŝeto, fariĝas mia koro.

Kaj en la mondo ankoraŭ ne estas iu portenda jubelo por tiu poŝeto.

Tiu ĉi poŝeto estas ankoraŭ ne elfarita, ne pro mia malŝato je elfaro, sed pro mia ŝatego je elfaro.

사랑의 불

山川草木에 붙은 불은 燧人氏[17]가 내셨습니다
靑春의 音樂에 舞蹈하는 나의 가슴을 태우는 불은 가는 님이 내셨습니다

矗石樓를 안고 돌며 푸른 물결의 그윽한 품에 論介의 靑春을 잠재우는 南江의 흐르는 물아
牧丹峰의 키스를 받고 桂月香의 無情을 咀呪하면서 綾羅島를 감돌아 흐르는 失戀者인 大洞江아
그대들의 權威로도 애태우는 불은 끄지 못할 줄을 번연히 알지마는 입버릇으로 불러 보았다
만일 그대네가 쓰리고 아픈 슬픔으로 졸이다가 爆發되는 가슴 가운데의 불을 끌 수가 있다면 그대들이 님 그리운 사람을 위하여 노래를 부를 때에 이따금이따금 목이 메어 소리를 이르지 못함은 무슨 까닭인가
남들이 볼 수 없는 그대네의 가슴 속에도 애태우는 불꽃이 거꾸로 타들어가는 것을 나는 본다

오오 님의 情熱의 눈물과 나의 感激의 눈물이 마주 닿아서 合流가 되는 때에 그 눈물의 첫 방울로 나의 가슴의 불을 끄고 그 다음 방울을 그대네의 가슴에 뿌려 주리라

---

17) *sinjoro Fajrigisto: Ĉina imperiestro de antikva legendo, kiu instruis por la unua fojo fari fajron, kaj manĝi per bruligitan kuiraĵon.

FAJRO DE LA AMO

Faris sinjoro Fajrigisto* fajron brulanta en monto-rivero-herbo-arbo.

Faris la karulo foriranta fajro bruliganta mian bruston-dancanta-laŭ-muziko.

Fluanta akvo en Rivero Namkang[18], dormiganta junecon de Nonge[19] en profundaj brakoj de bluaj ondoj, rondiranta brakumante turon Ĉoksokru[20]!

Rivero Tetongkang[21], t.e. amperdanto, fluanta insulon Nungrado[22] en ĉirkaŭpreno, kisite de montpinto Moranbong[23], malbeninte senkoron de Keŭolhjang[24]!

Eĉ se mi subite ekscias, ke ankaŭ digneco de vi ambaŭ ne povas estingi amzorgan fajron, tamen mi vokis vin, samkiel buŝkutime.

Se vi ambaŭ povas estingi la fajron meze de brusto, kiu korpremiĝas kaj poste

---

18) *Rivero Namkang: vidu la poemon 52
19) *Nonge: vidu la poemon 52
20) *turo Ĉoksokru: vidu la poemon 52
21) *rivero Tedongkang: vidu la poemon 61
22) *Nungrado: Insulo, situata en la rivero Tedongkang, en Pyongyang, en norda parto de Koreujo
23) *Moranbong: vidu la poemon 61.
24) *Keŭolhjang: vidu la poemon 61

eksplodas en maldolĉa, doloriga tristo, kiam vi kantas kanton por karulsopirantoj, kio kaŭas, ke vi, gorĝoĝemaj, de tempo al tempo ne faras sonon?

Mi vidas, ke amzorga fajrero en viaj brustoj, kiujn aliuloj ne povas vidi, inverse ekbrulas.

Ho! Kiam larmo de entuziasmo de la karulo kaj larmo de mia plenĝuo, renkontinte unu kun la alia, fariĝas komuna elfluo, mi, per tiu unua larmguto, estingu fajron de mia brusto, kaj alian sekvantan larmguton disĵetu sur viajn brustojn.

우는 때

꽃 핀 아침 달 밝은 저녁 비오는 밤 그때가 가장 님 그리운 때라고 남들은 말합니다
나도 같은 고요한 때로는 그때에 많이 울었습니다

그러나 나는 여러 사람이 모여서 말하고 노는 때에 더 울게 됩니다
님 있는 여러 사람들은 나를 위로하여 좋은 말을 합니다마는 나는 그들의 위로하는 말을 조소로 듣습니다
그때에는 울음을 삼켜서 눈물을 속으로 창자를 향하여 흘립니다

PLORIGA MOMENTO

Flora mateno, plenluna vespero kaj pluva nokto estas plej sopiraj momentoj de la karulo, aliuloj diras.

Mi ankaŭ ploris multe en samaj kvietaj momentoj.
Sed, kiam multaj homoj kolektiĝas, diras-ludas, tiam mi pliploras.
Multaj karulojn-havantaj homoj konsolas min per bonaj vortoj, tiam mi aŭdas ilian konsolon kiel ridaĉon.
Tiam, mi englutas larmon, kaj ĝin fluigas en mian inteston.

「사랑」을 사랑하여요

당신의 얼굴은 봄 하늘의 고요한 별이어요
그러나 찢어진 구름 사이로 돋아오는 반달 같은 얼굴이 없는 것이 아닙니다
만일 어여쁜 얼굴만을 사랑한다면 왜 나의 베갯모에 달을 수 놓지 않고 별을 수 놓아요

당신의 마음은 티 없는 숫玉이여요 그러나 곱기도 밝기도 굳기도 보석 같은 마음이 없는 것이 아닙니다
만일 아름다운 마음만을 사랑한다면 왜 나의 반지를 보석으로 아니하고 玉으로 만들어요

당신의 詩는 봄비에 새로 눈뜨는 金결 같은 버들이어요
그러나 기름 같은 검은 바다에 피어오르는 百合꽃 같은 詩가 없는 것이 아닙니다
만일 좋은 文章만을 사랑한다면 왜 내가 꽃을 노래하지 않고 버들을 讚美하여요

온세상 사람이 나를 사랑하지 아니할 때에 당신만이 나를 사랑하였습니다
나는 당신을 사랑하여요 나는 당신의 「사랑」을 사랑하여요

AMU <LA AMON>

Via vizaĝo estas trankvila stelo en printemĉielo.

Sed ne malestas la vizaĝo, same kiel duonluno, kiu eklevigâs el la dissŝiritaj nuboj.

Se vi nur amas vizaĝon belan, kial en ambaŭflankoj de mia kapkuseno vi brodas ne lunojn, sed stelojn?

Via koro estas purega perlo sen makuloj.

Sed ne malestas la koro, same kiel juvelo kaj bela kaj luma kaj firma.

Se vi nur amas koron belan, kial vi faris mian ringon ne per jubelo sed per perlo?

Via poemo estas ronda saliko ekburĝonanta en printempluvo.

Sed ne malestas la poemo, same kiel liliflоro, kiu floras-kreskas en nigra maro kiel oleo.

Se vi nur amas frazon belan, kial mi, ne kantante floron, sed la salikon mi ĉantas?

Kiam neniu en la mondo min amis, tiam vi la sola min amis.

Mi vin amas. Mi vian <amon> amas.

버리지 아니하면

나는 잠자리에 누어서 자다가 깨고 깨다가 잘 때에 외로운 등잔불은 恪勤한 把守軍처럼 온밤을 지킵니다

당신이 나를 버리지 아니하면 나는 一生의 등잔불이 되어서 당신의 百年을 지키겠습니다

나는 책상 앞에 앉아서 여러 가지 글을 볼 때에 내가 要求만 하면 글은 좋은 이야기도 하고 맑은 노래도 부르고 嚴肅한 教訓도 줍니다

당신이 나를 버리지 아니하면 나는 服從의 百科全書가 되어서 당신의 要求를 酬應하겠습니다

나는 거울을 대하여 당신의 키스를 기다리는 입술을 볼 때에 속임 없는 거울은 내가 웃으면 거울도 웃고 내가 찡그리면 거울도 찡그립니다

당신이 나를 버리지 아니하면 나는 마음의 거울이 되어서 속임없이 당신의 苦樂을 같이하겠습니다

SE VI MIN NE FORĴETOS

Mi en dormejo ekkuŝas, dormetas, vekiĝas, denove ekdormas, tiam sola olelampo gardas tutan nokton kiel diligenta deĵoranto.

Se vi min ne forĵetos, mi fariĝu dumviva olelampo, kaj gardu viajn cent jarojn.

Mi legas diversajn skribaĵojn sidante antaŭ skribtablo, la skribaĵoj, se mi nur deziras, jen diras bonan rakonton, jen kantas klaran kanton, jen donas severan instruon.

Se vi min ne forĵetos, mi fariĝu enciklopedio de la obeo, kaj servu vin por viaj deziroj.

Mi ĉe spegulo rigardas miajn lipojn, kiuj atendas vian kison, la senkaŝa spegulo jen ridas, kiam mi ridas, jen grimacas, kiam mi grimacas.

Se vi min ne forĵetos, mi fariĝu spegulo de la koro, kaj ekzistu kune kun via ĝojo-tristo.

당신 가신 때

당신이 가실 때에 나는 다른 시골에 병들어 누워서 이별의 키스도 못하였습니다
그때는 가을 바람이 처음으로 나서 단풍이 한 가지에 두서너 잎이 붉었습니다

나는 永遠의 時間에서 당신 가신 때를 끊어내겠습니다 그러면 時間은 두 토막이 납니다
時間의 한 끝은 당신이 가지고 한 끝은 내가 가졌다가 당신의 손과 나의 손과 마주 잡을 때에 가만히 이어 놓겠습니다
그러면 붓대를 잡고 남의 不幸한 일만을 쓰려고 기다리는 사람들도 당신의 가신 때는 쓰지 못할 것입니다
나는 永遠의 時間에서 당신 가신 때를 끊어내겠습니다

KIAM VI FORLASIS

Kiam vi forlasis, tiam mi ne povis fari eĉ adiaŭan kison, ĉar mi malsanis kaj kuŝis en alia kamparvilaĝo.

Tiam, ekblovis aŭtunvento por la unua fojo, kaj en aceroj videblis du-tri ruĝaj folioj en unu branĉo.

Mi, el la tempo de la eterno, eltranĉu momenton de via forlaso. Tamen la tempo ne fariĝas du partoj.

Unu finon de la tempo vi kaptu, alian finon mi kaptu, kaj poste, kiam intertuŝas manoj kaj via kaj mia, mi kviete kunigos ilin.

Tiam eĉ homoj, kiuj nur atendegas priskribi malfeliĉajn aferojn de aliuloj, ne povas skribi momenton de via forlaso.

Mi, el la tempo de la eterno, eltranĉu momenton de via forlaso.

妖術

가을 洪水가 작은 시내의 쌓인 落葉을 휩쓸어가듯이 당신은 나의 歡樂의 마음을 빼앗아갔습니다 나에게 남은 마음은 苦痛뿐입니다

그러나 나는 당신을 원망할 수는 없습니다 당신이 가기 전에는 나의 苦痛의 마음을 빼앗아간 까닭입니다

만일 당신이 歡樂의 마음과 苦痛의 마음을 同時에 빼앗아간다 하면 나에게는 아무 마음도 없겠습니다

나는 하늘의 별이 되어서 구름의 面紗로 낯을 가리고 숨어 있겠습니다

나는 바다의 眞珠가 되었다가 당신의 구두에 단추가 되겠습니다

당신이 만일 별과 眞珠를 따서 게다가 마음을 넣어 다시 당신의 님을 만든다면 그때에는 歡樂의 마음을 넣어 주셔요

부득히 苦痛의 마음도 넣어야 하겠거든 당신의 苦痛을 빼어다가 넣어 주셔요

그리고 마음을 빼앗아 가는 妖術은 나에게는 가르쳐 주지 마셔요

그러면 지금의 이별이 사랑의 最後는 아닙니다

MAGIO

Samkiel Peza pluvo en aŭtuno forportas kolektitajn foliojn en rojeto, vi forrabis de mi mian koron de plezurego. La restaĵo al mi estas nur sufero.

Sed mi ne povas malbeni vin. Ĉar antaŭ tiam, kiam vi foriris, vi jam forprenis mian koron de sufero.

Se vi forprenus samtempe miajn korojn de plezurego kaj de sufero, neniu koro restus ĉe mi.

Mi kaŝu min, fariĝinte ĉiela stelo, kovrinte vizaĝon per blanka silkaĵo de nubo.

Mi fariĝu mara perlo, kaj poste fariĝu butono de viaj ledŝuoj.

Se vi forkolektus tiujn stelon kaj perlon, tie aldonus la koron, kaj refoje farus vian karulinon, tiam vi enmetu la koron de plezurego.

Se vi devus enmeti eĉ la koron de sufero, enmetu vian forprenitan suferon.

Kaj ne instruu al mi la magion forrabi koron.

Se tia, nuna forlaso ne estas finfino de la amo.

당신의 마음

나는 당신의 눈섭이 검고 귀가 갸름한 것도 보았습니다
그러나 당신의 마음을 보지 못하였습니다
당신이 사과를 따서 나를 주려고 크고 붉은 사과를 따로 쌀 때에 당신의 마음이 그 사과 속으로 들어가는 것을 분명히 보았습니다

나는 당신의 둥근 배와 잔나비 같은 허리와를 보았습니다
그러나 당신의 마음을 보지 못하였습니다
당신이 나의 사진과 어떤 여자의 사진을 같이 들고 볼 때에 당신의 마음이 두 사진의 사이에서 초록빛이 되는 것을 분명히 보았습니다

나는 당신의 발톱이 희고 발꿈치가 둥근 것도 보았습니다
그러나 당신의 마음을 보지 못하였습니다
당신이 떠나시려고 나의 큰 보석반지를 주머니에 넣으실 때에 당신의 마음이 보석반지 너머로 얼굴을 가리고 숨는 것을 분명히 보았습니다

VIA KORO

Mi vidis ankaŭ, ke viaj brovoj estas nigraj kaj viaj oreloj estas sveltaj.

Sed mi ne vidis vian koron.

Kiam vi, post rikolto de pomoj, speciale pakis por mi grandajn-ruĝajn el tiuj pomoj, tiam mi klarvidis, ke via koro eniris en tiujn pomojn.

Mi vidis ankaŭ vian rondan ventron kaj vian simiosimilan talion.

Sed mi ne vidis vian koron.

Kiam vi, post preno de fotaĵoj de mi kaj de iu virino, rigardis kaj la mian kaj la ŝian el tiuj fotoj, tiam mi klarvidis, ke inter tiuj fotoj via koro iĝis verdlumo.

Mi vidis ankaŭ, ke viaj piedungoj estas blankaj kaj viaj kalkanoj estas rondaj.

Sed mi ne vidis vian koron.

Kiam vi, por preparo de foriro, en vian poŝon enmetis grandan jubelringon, tiam mi klarvidis, ke via koro vizaĝkaŝis sin transringen.

여름밤이 길어요

당신이 계실 때에는 겨울밤이 쫣더니 당신이 가신 뒤에는 여름밤이 길어요

책력의 內容이 그릇되었나 하였더니 개똥불이 흐르고 벌레가 웁니다

긴 밤은 어디서 오고 어디로 가는 줄을 분명히 알았습니다

긴 밤은 근심 바다의 첫 물결에서 나와서 슬픈 音樂이 되고 아득한 沙漠이 되더니 필경 絶望의 城 너머로 가서 惡魔의 웃음 속으로 들어갑니다

그러나 당신이 오시면 나는 사랑의 칼을 가지고 긴 밤을 베혀서 一千 토막을 내겠습니다

당신이 계실 때에는 겨울밤이 쫣더니 당신이 가신 뒤에는 여름밤이 길어요

SOMERNOKTO LONGAS

Kiam vi loĝis ĉe mi, vintronokto mallongis, depost via forlaso, somernokto longas.

Mi pensis, ĉu la enhavo de kalendaro misinformus, sed lampiroj fluas, kaj insektoj cirpas.

Mi klare sciis, de kie venas longa nokto kaj kien ĝi iras.

Longa nokto venas de la unua ondo de zorgomaro, kaj fariĝas trista muziko, poste fariĝinte svena sablaro, finfine, irinte trans kastelon de klifo, eniras en ridon de la demono.

Sed, se vi venos ĉe mi, mi distranĉos longan nokton je mil eroj per glavo de la amo.

Kiam vi loĝis ĉe mi, vintronokto mallongis, depost via forlaso, somernokto longas.

冥想

아득한 冥想의 작은 배는 가이없이 출렁거리는 달빛의 물결에 漂流되어 멀고 먼 별나라를 넘고 또 넘어서 이름도 모르는 나라에 이르렀습니다

이 나라에는 어린 아기의 微笑와 봄 아침과 바다 소리가 合하여 사람이 되었습니다

이 나라 사람은 玉璽의 귀한 줄도 모르고 黃金을 밟고 다니는 美人의 靑春을 사랑할 줄도 모릅니다

이 나라 사람은 웃음을 좋아하고 푸른 하늘을 좋아합니다

冥想의 배를 이 나라의 宮殿에 매었더니 이 나라 사람들은 나의 손을 잡고 같이 살자고 합니다

그러나 나는 님이 오시면 그의 가슴에 天國을 꾸미려고 돌아왔습니다

달빛의 물결은 흰 구슬을 머리에 이고 춤추는 어린 풀의 장단을 맞추어 우쭐거립니다

MEDITO

La svena meditboateto, drivante de ondoj de senfine leviĝantaj lunstrioj, transiris, transiris malproksimegajn stellandojn, atingis la nekonatan landon.

En tiu ĉi lando la amo fariĝis el kuniĝo de infanrideto, printempa mateno kaj marsono.

Homoj de tiu ĉi lando, paŝadante sur flavoroj, ne scias valoron de perla sigelilo de la ŝtato, nek scias ami la junecon de la beluloj.

Homoj de tiu ĉi lando ŝatas ridon, kaj ŝatas bluan ĉielon.

La meditboateton mi ankoris ĉe palaco de tiu ĉi lando, homoj kaptas miajn manojn kaj proponas al mi kune loĝi.

Sed mi revenis por prepari paradizon en brusto de la karulo, kiam li venos.

Ondoj de lunstrioj flustre iras laŭ longo-mallongo de dancanta junherbo, kiu portas surkape blankan perlon.

七夕

「차라리 님이 없이 스스로 님이 되고 살지언정 하늘 위의 織女星은 되지 않겠어요 네 네」 나는 언제인지 님의 눈을 쳐다보며 조금 아양스런 소리로 이렇게 말하였습니다

이 말은 牽牛의 님을 그리는 織女가 一年에 한번씩 만나는 七夕을 어찌 기다리나 하는 同情의 咀呪였습니다

이 말에는 나는 모란꽃에 취한 나비처럼 一生을 님의 키스에 바쁘게 지나겠다는 교만한 盟誓가 숨어 있습니다

아아 알 수 없는 것은 運命이요 지키기 어려운 것은 盟誓입니다

나의 머리가 당신의 팔 위에 도리질을 한 지가 七夕을 열 번이나 지나고 또 몇 번을 지내었습니다

그러나 그들은 나를 용서하고 불쌍히 여길 뿐이요 무슨 復讎的 詛呪를 아니하였습니다

그들은 밤마다밤마다 銀河水를 사이에 두고 마주 건너다보며 이야기하고 놉니다

그들은 헤죽헤죽 웃는 銀河水의 江岸에서 물을 한줌씩 쥐어서 서로 던지고 다시 뉘우쳐 합니다

그들은 물에다 발을 잠그고 반비슷이 누어서 서로 안 보는 체하고 무슨 노래를 부릅니다

그들은 갈잎으로 배를 만들고 그 배에다 무슨 글을 써서 물에 띄우고 입김으로 불어서 서로 보냅니다 그리고 서로 글을 보고 理解하지 못하는 것처럼 잠자코 있

습니다
　그들은 돌아갈 때에는 서로 보고 웃기만 하고 아무 말도 아니합니다

　지금은 七月七夕날 밤입니다
　그들은 蘭草실로 주름을 접은 蓮꽃의 윗옷을 입었습니다
　그들은 한 구슬에 일곱 빛나는 桂樹나무 열매의 노리개를 찼습니다
　키스의 술에 醉할 것을 想像하는 그들의 뺨은 먼저 기쁨을 못 이기는 自己의 熱情에 醉하여 반이나 붉었습니다
　그들은 烏鵲橋를 건너갈 때에 걸음을 멈추고 윗옷의 뒷자락을 檢査합니다
　그들은 烏鵲橋를 건너서 서로 抱擁하는 동안에 눈물과 웃음이 順序를 잃더니 다시금 恭敬하는 얼굴을 보입니다

　아아 알수 없는 것은 運命이요 지키기 어려운 것은 盟誓입니다

　나는 그들의 사랑이 表現인 것을 보았습니다
　진정한 사랑은 表現할 수가 없습니다
　그들은 나의 사랑을 볼 수는 없습니다
　사랑의 神聖은 표현에 있지 않고 秘密에 있습니다
　그들이 나를 하늘로 오라고 손짓을 한대도 나는 가지 않겠습니다
　지금은 七月七夕날 밤입니다

LA SEPA VESPERO[25]

Mi ne fariĝu Teksistina Stelo sur la ĉielo, eĉ se mi mem vivus kiel aliulo sen karulo. "Jes, jes", mi ekde iam tiel ĉi diris per iom koketa voĉo, rigardante okulojn de la karulo.

Tiu ĉi diro estis malbeno de kompato, kiel la Teksistino sopiranta la Bovpaŝtiston-karulon atendus la sepan vesperon de Julio por nur unu foja rendevuo en jaro.

En tiu ĉi diro kaŝas impertinenta ĵuro, ke mi, samkiel papilio fascinata de peoniofloro, fartu okupite dum tuta vivo pro kisoj de la karulo.

Ha, nesciema estas la sorto, neobeema estas la ĵuro.

La Sepa Vespero de Julio jam plu pasis kelkfoje post dek fojoj depost, kiam mi

---

25) *Korea mitologio diras : En la mito devena de Ĉinujo, en la 7a de Julio, laŭ lunkalendaro, la Bovpaŝtisto kaj la Teksistino, kiuj estas geamantoj, pro siaj pekoj, estis permesitaj unu kun la alia renkontiĝi nur unu fojon en ĉiu jaro. Ili, respektive, vivis en la steloj Altairo kaj Vego. La ambaŭ estas disigitaj de la Ĉiela Rivero, la Lakta Vojo. En tiu tago, pigoj, per siaj korpoj, formas ponton por la rendevuo de la ambaŭ.

balanciis mian kapon en viaj brakoj.

Sed ili nur pardonas-kompatas min, ili ne faris venĝan malbenon.

Ili rakontas-ludas rigardante unu la alian inter la Lakta Vojo nokton post nokto.

Ili ĵetas pugnon da akvo en siaj riverbordoj de ridema Lakta Vojo, kaj repentas unu la alian?

Ili kantas iun kanton, enakvuminte siajn piedojn, duonkuŝiginte siajn korpojn, ŝajnigante ne rigardi unu la alian.

Ili faras sian boaton per kanfolioj, faras iujn skribojn en la boato, fluigis ilin en la akvon kaj sendas reciproke, blovante ilin per elspiro. Kaj ili nur silentas, ke ili ne komprenas la enhavon, vidante la verkajn vortojn.

Kiam ili revenas, ili nur ridas unu al la alia, sen diro.

Nun estas nokto de la Sepa Vespero de Julio.

Ili vestas sin per lotusfloraj survestoj, faldumitaj per fadenoj de orikido.

Ili kunportis ludilon farita el la fruktoj de cinamarbo, brilanta per sepkoloroj en unu perlo?

Iliaj vangoj imagotaj fascinaj de la

kisvino estas jam komence duonruĝiĝis pro nevenkebla fascina mementuziasmo de ĝojo.

Ili, je transiro de la Ponto de Korvoj, haltante ekzamenas dorsan malsupron de la survesto.

Ili, transirinte la Ponton de la Korvoj, je brakumo unu por la alia, perdis ordon de ploroj kaj de ridoj, poste revideblas respektemaj vizaĝoj.

Ha, nesciema estas la sorto, neobeema estas la ĵuro.

Mi vidis, ke ilia amo estas esprimo.

La vera amo ne povas fari esprimon.

Ili ne povas vidi mian amon.

Digno de la amo ne estas en esprimo, sed en sekreto.

Malgraŭ, ke ili vokus min per mansignoj supreniri al la ĉielo, mi ne iru.

Nun estas nokto de la Sepa Vespero de Julio.

(La foto de la tria eldono(2015))

生의 藝術

모르는 결에 쉬어지는 한숨은 봄바람이 되어서 야윈 얼굴을 비치는 거울에 이슬꽃을 핍니다

나의 周圍에는 和氣라고는 한숨의 봄바람밖에는 아무 것도 없습니다

하염없이 흐르는 눈물은 水晶이 되어서 깨끗한 슬픔의 聖境을 비칩니다

나는 눈물의 水晶이 아니면 이 세상에 寶物이라고는 하나도 없습니다

한숨의 봄바람과 눈물의 水晶은 떠난 님을 그리워하는 情의 秋收입니다

저리고쓰린 슬픔은 힘이 되고 열이 되어서 어린 羊과 같은 작은 목숨을 살아 움직이게 합니다

님이 주시는 한숨과 눈물은 아름다운 生의 藝術입니다

LA ARTO DE LA VIVO

Ĝemo spirata sensciate, fariĝinte printempa vento, floras rosfloron sur spegulo travidanta malgrasan vizaĝon.

Etoso harmonia ĉirkaŭ mi estas nenie, krom ĉe printempa vento de ĝemo.

Larmo fluata senfine, fariĝinte kristalo, travidas sanktan konscion de pura tristo.

Juvelo en la mondo, mi opinias, ekzistas nenie, krom ĉe la kristalo de larmo.

Ĝema printempa vento kaj larma kristalo estas rikoltoj de la sento sopiranta la forlasitan karulon.

Malsana kaj dolora tristo, fariĝinte forto kaj varmo, vivmovigas malgrandan vivon, kiel junan ŝafon.

Ĝemo kaj larmo donitaj de la karulo estas la bela arto de la vivo.

꽃싸움

당신은 두견화를 심으실 때에 「꽃이 피거든 꽃싸움 하자」고 나에게 말하였습니다

꽃은 피어서 시들어가는데 당신은 옛 맹세를 잊으시고 아니 오십니까

나는 한 손에 붉은 꽃수염을 가지고 한 손에 흰 꽃수염을 가지고 꽃싸움을 하여서 이기는 것을 당신이라 하고 지는 것은 내가 됩니다

그러나 정말로 당신을 만나서 꽃싸움을 하게 되면 나는 붉은 꽃수염을 가지고 당신은 흰 꽃수염을 가지게 합니다

그러면 당신은 나에게 번번히 지십니다

그것은 내가 이기기를 좋아하는 것이 아니라 당신이 나에게 지기를 기뻐하는 까닭입니다

번번히 이긴 나는 당신에게 우승의 상을 달라고 조르겠습니다

그러면 당신은 빙긋이 웃으며 나의 뺨에 입맞추겠습니다

꽃은 피어서 시들어 가는데 당신은 옛 맹세를 잊으시고 아니 오십니까

FLORBATALO

Kiam vi ekplantis azaleon, tiam vi diris al mi: "Ni faru florbatalon tiam, kiam la floro ekfloros."

Ĉu vi ne venas, forgesinte la malnovan ĵuron, malgraŭ, ke la floro jam velkiĝis post florado?

Mi, havante en unu mano ruĝan florbarbon, en alia mano la blankan florbarbon, ludis florbatalon, jen rezulto: Venkon vi gajnis, kaj venkon mi perdis.

Sed kiam vere mi renkontas vin kaj ni ludas florbatalon, mi havu florbarbon ruĝan, sed vi la blankan.

Kaj tiam, vi ĉiam ne venkas min.

Tio kaŭzas, ke vi ne ŝatas venki min, sed vi ĝojas esti venkita de mi. Mi, ĉiam venkanto, petegos de vi premion pro la venko.

Tiam, vi, ridante senkonsile, kisos miajn vangojn.

Ĉu vi ne venas, forgesinte la malnovan ĵuron, malgraŭ, ke la floro jam velkiĝis post florado?

거문고 탈 때

달 아래에서 거문고를 타기는 근심을 잊을까 함이러니 처음 곡조가 끝나기 전에 눈물이 앞을 가려서 밤은 바다가 되고 거문고 줄은 무지개가 됩니다

거문고 소리가 높았다가 가늘고 가늘다가 높을 때에 당신은 거문고 줄에서 그네를 뜁니다

마지막 소리가 바람을 따라서 느티나무 그늘로 사라질 때에 당신은 나를 힘없이 보면서 아득한 눈을 감습니다

아아 당신은 사라지는 거문고 소리를 따라서 아득한 눈을 감습니다

LUDANTE GEMUNGON[26]

Tio, ke mi muzikas gemungon sub la luno, celis forgeson de zorgo, la larmoj, antaŭ ol fini unuan melodion, jam kovris antaŭ min, nokto fariĝas maro, kordoj de gemungo fariĝas ĉielarkoj.

Kiam sono de gemungo jen altas kaj poste mallarĝas, jen mallarĝas kaj poste altas, vi ludas balancilon sur kordoj de gemungo.

Kiam lasta sono malaperis laŭ vento en ombron de zelkovo, tiam vi, senforte rigardante min, fermas svenajn viajn okulojn.

Ha, vi, laŭ sono de gemungo, fermas svenajn okulojn.

---

26) *gemungo: Korea tradicia korda muzikinstrumento kun 6 kordoj.

오셔요

오셔요 당신은 오실 때가 되었어요 어서 오셔요
당신은 당신의 오실 때가 언제인지 아십니까 당신의 오실 때는 나의 기다리는 때입니다

당신은 나의 꽃밭에로 오셔요 나의 꽃밭에는 꽃들이 피어 있습니다
만일 당신을 쫓아오는 사람이 있으면 당신은 꽃속으로 들어가서 숨으십시요
나는 나비가 되어서 당신 숨은 꽃 위에 가서 앉겠습니다
그러면 쫓아오는 사람이 당신을 찾을 수는 없습니다
오셔요 당신은 오실 때가 되었습니다 어서 오셔요

당신은 나의 품에로 오셔요 나의 품에는 보드라운 가슴이 있습니다
만일 당신을 쫓아오는 사람이 있으면 당신은 머리를 숙여서 나의 가슴에 대십시오
나의 가슴은 당신이 만질 때에는 물 같이 보드랍지마는 당신의 危險을 위하여는 黃金의 칼도 되고 鋼鐵의 방패도 됩니다
나의 가슴은 말굽에 밟힌 落花가 될지언정 당신의 머리가 나의 가슴에서 떨어질 수는 없습니다
그러면 쫓아오는 사람이 당신에게 손을 댈 수는 없습니다
오셔요 당신은 오실 때가 되었습니다 어서 오셔요

당신은 나의 죽음 속으로 오셔요 죽음은 당신을 위하여의 準備가 언제든지 되어 있습니다

만일 당신을 쫓아오는 사람이 있으면 당신은 나의 죽음의 뒤에 서십시오

죽음은 虛無와 萬能이 하나입니다

죽음의 사랑은 無限인 同時에 無窮입니다

죽음의 앞에는 軍艦과 砲臺가 티끌이 됩니다

그러면 쫓아오는 사람이 당신을 잡을 수는 없습니다

오셔요 당신은 오실 때가 되었습니다 어서 오셔요

VENU

Venu. Estas tempo, ke vi venus. Bonvolu venon.

Ĉu vi scias, kiam vi venos? La momento, kiam vi venos, estas mia atendata momento.

Venu al mia florĝardeno. Ekfloras en mia florĝardeno floroj.

Se estus iu, kiu vin pelas, vi eniru en la florojn kaj kaŝu vin.

Mi, fariĝinte papilio, flugos kaj eksidos sur tiun floron, ĉe kiu vi kaŝis vin.

Se estus tia, la pelanto ne povas trovi vin.

Venu. Estas tempo, ke vi venus. Bonvolu venon.

Venu al miaj brakoj. Estas en miaj brakoj milda brusto.

Se estus iu, kiu vin pelas, vi klinu vian kapon, kaj enmetu ĝin en mian bruston.

Mia brusto, kiam vi tuŝas ĝin, estas milda kiel akvo, sed kontraŭ via danĝero ĝi fariĝas kaj flavora glavo kaj ŝtala ŝildo.

Eĉ se mia brusto povus esti falinta floro tretita de ĉevalhufoj, neniu povus demeti vian kapon el mia brusto.

Se estus tia, la pelanto ne povas mantuŝi vin.

Venu. Estas tempo, ke vi venus. Bonvolu venon.

Venu en mian morton. Estas ĉiam preta por vi mia morto.

Se estus iu, kiu vin pelas, vi staru malantaŭ mia morto.

Morto samon havas el vano kaj el ĉiu eblo.

La amo por morto estas senlimo, samtempe senfino.

Antaŭ morto militŝipo kaj baterio ekfariĝas polvoj.

Antaŭ morto malfortulo kaj fortulo ekfariĝas unu.

Se estus tia, la pelanto ne povas kapti vin.

Venu. Estas tempo, ke vi venu. Bonvolu venon.

快樂

님이여 당신은 나를 당신 계신 때처럼 잘 있는 줄로 아십니까

그러면 당신은 나를 아신다고 할 수가 없습니다

당신이 나를 두고 멀리 가신 뒤로는 나는 기쁨이라고는 달도 없는 가을 하늘에 외기러기의 발자취만치도 없습니다

거울을 볼 때에 절로 오던 웃음도 오지 않습니다

꽃나무를 심고 물 주고 북돋우던 일도 아니합니다

고요한 달그림자가 소리없이 걸어와서 엷은 창에 소근거리는 소리도 듣기 싫습니다

가물고 더운 여름 하늘에 소낙비가 지나간 뒤에 산모롱이의 작은 숲에서 나는 서늘한 맛도 달지 않습니다

동무도 없고 노리개도 없습니다

나는 당신 가신 뒤에 이 세상에서 얻기 어려운 快樂이 있습니다

그것은 다른 것이 아니라 이따금 실컷 우는 것입니다

PLEZURO

Ĉu vi, karulo, scias, ke mi bonfartas tiel, same kiam vi loĝis ĉe mi?

Se jes, vi ne povas diri, ke vi konas min.

Post kiam vi malproksime foriris de mi, lasinte min, mia ĝojo havas neniom, kiom havas piedspuroj de sola sovaĝanaso en aŭtunĉielo eĉ sen la luno.

Kiam mi rigardas spegulon, eĉ spontanee vekiĝanta rido ne plu venas.

Mi ne plantas florarbon, nek akvumas, nek aldonas terpeceton por la arbo.

Mi ne deziras aŭdi ĉe maldika fenestro eĉ sonon, ke kvieta lunombro paŝas senbrue kaj flustras.

Ne dolĉas serena gusto el arbareto de montangulo post peza ekpluvo en senpluva kaj varmega somero.

Ne estas amikoj, nek ludiloj.

Post kiam vi foriris, mi trovis la nefacile akireblan plezuron en la mondo.

Tio estas: ne estas alia, sed plena plorado de tempo al tempo.

苦待

당신은 나로 하여금 날마다날마다 당신을 기다리게 합니다

해가 저물어 산 그림자가 촌집을 덮을 때에 나는 期約 없는 期待를 가지고 마을 숲 밖에 가서 기다리고 있습니다

소를 몰고오는 아해들의 풀입피리는 제 소리에 목맺힙니다

먼 나무로 돌아가는 새들은 저녁 연기에 헤엄칩니다

숲들은 바람과의 遊戱를 그치고 잠잠히 섯습니다 그것은 나에게 同情하는 表象입니다

시내를 따라 구비친 모랫길이 어둠의 품에 안겨서 잠들 때에 나는 고요하고 아득한 하늘에 긴 한숨의 사라진 자취를 남기고 게으른 걸음으로 돌아옵니다

당신은 나로 하여금 날마다날마다 당신을 기다리게 합니다

어둠의 입이 黃昏의 엷은 빛을 삼킬 때에 나는 시름없이 문밖에 서서 당신을 기다립니다

다시 오는 별들은 고운 눈으로 반가운 表情을 빛내면서 머리를 조아 다투어 인사합니다

풀 사이의 벌레들은 이상한 노래로 白晝의 모든 生命의 戰爭을 쉬게 하는 平和의 밤을 供養합니다

네모진 작은 못의 蓮잎 위에 발자취 소리를 내는 실없는 바람이 나를 嘲弄할 때에 나는 아득한 생각이 날카로운 怨望으로 化합니다

당신은 나로 하여금 날마다날마다 당신을 기다리게 합니다

一定한 步調로 걸어가는 私情없는 時間이 모든 希望을 채찍질하여 밤과 함께 돌아갈 때에 나는 쓸쓸한 잠자리에 누어서 당신을 기다립니다

가슴 가운데의 低氣壓은 人生의 海岸에 暴風雨를 지어서 三千世界는 流失되었습니다

벗을 잃고 견디지 못하는 가엾은 잔나비는 情의 森林에서 저의 숨에 窒息되었습니다

宇宙와 人生의 根本問題를 解決하는 大哲學은 눈물의 三昧에 入定되었습니다

나의 「기다림」은 나를 찾다가 못 찾고 저의 自身까지 잃어버렸습니다

ATENDO

Vi faras min atendi vin tagon post tago.

Kiam montombro kovras kamparan vilaĝon je sunsubiro, tiam mi atendas kun espero sen promeso, elirinte el vilaĝa arbaro.

Foliflutoj de knaboj, kiuj hejmrevenas antaŭenirigante bovojn, premgorĝas je sia sono.

Birdoj revenantaj al malproksima arbo naĝas en vespera fumo.

Arbaroj, ludinte kun vento, staras trankvile. Tio estas simbolo kompatanta min.

Kiam kurbiga sablvojo laŭ rivereto dormas brakumita en brako de mallumo, tiam mi revenas, farinte forlasan spuron de longa ĝemspiro en trankvila kaj svena ĉielo.

Vi faras min atendi tagon post tago.

Kiam ombrobuŝo englutas vesperruĝan maldikan lumon, tiam mi atendas vin sen zorgo, starante ekster la pordo.

Steloj revenantaj per mildaj okuloj, prilumante bonvenan esprimon, konkure salutas balancante siajn kapojn.

Insektoj inter herboj diservas per stranga kanto nokton de la paco, kio ĉesigas militon de plentagaj ĉiuj vivaĵoj.

Kiam senkonsila vento, kiu sonas paŝon sur lotusfolioj en kvadrata lageto, petolas min, tiam mia svena penso formiĝas al akra malkontento.

Vi faras min atendi tagon post tago.

Kiam senkora tempo piediranta en ĉiu regulritmo, vipante ĉiun esperon, vojaĝas kune kun nokto, tiam mi, kuŝanta en dormejo, atendas vin.

Malalta atmosferpremo meze de brusto, farinte ventpluvegon en marbordo de homvivo, forperdigis trimil mondojn.

Mizera simio, kiu suferas elteni pro perdo de sia partnero, sufokiĝis je sia spiro en arbarego de la sento.

Granda filozofio, kiu solvas fundamentajn problemojn de universo kaj de homvivo, ekloĝis en ekstazon de ploro.

Mia <atendo>, ke mi ne trovis min malgraŭ serĉo, perdigis eĉ min mem.

사랑의 끝판

네 네 가요 지금 곧 가요

에그 등불을 켜려다가 초를 거꾸로 꽂았습니다 그려 저를 어쩌나 저 사람들이 흉보겠네

님이여 나는 이렇게 바쁩니다 님은 나를 게으르다고 꾸짖습니다 에그 저 것 좀 보아 「바쁜 것이 게으른 것이다」하시네

내가 님의 꾸지람을 듣기로 무엇이 싫겠습니까 다만 님의 거문고줄이 緩急을 잃을까 저허합니다

님이여 하늘도 없는 바다를 거쳐서 느름나무 그늘을 지워버리는 것은 달빛이 아니라 새는 빛입니다

홰를 탄 닭은 날개를 움직입니다

마구에 매인 말은 굽을 칩니다

네 네 가요 이제 곧 가요

FINO DE LA AMO

Jes, jes, mi iru. Mi iras nun.

He, mi renverse metis kandelon por eklumigo de lampo. Domaĝe, oni riproĉus min.

Karulo, mi estas tiel okupita. Vi riproĉas min maldiligenta. Vi diras: "He, vidu tion, okupiteco estas maldiligento."

Kio ĝenas min, ke mi aŭdis de la karulo riproĉon?

Mi nur timas, ĉu kordoj de gemungo[27]* de la karulo perdus la malrapidon-rapidon.

Karulo, tio ne estas lunlumo, sed vekiĝanta lumo, kio viŝas for la ombron de ulmo trans maro eĉ sen ĉielo.

Koko, batinte sidstangon, jam movas siajn flugilojn.

Ĉevalo, alkroĉite en stalo, batas per hufoj.

Jes, jes, mi iru. Mi jam iras.

---

27) *gemungo: vidu la poemon 84

讀者에게

讀者여 나는 詩人으로 여러분의 앞에 보이는 것을 부끄러워 합니다

여러분이 나의 詩를 읽을 때에 나를 슬퍼하고 스스로 슬퍼할 줄을 암니다

나는 나의 詩를 讀者의 子孫에게까지 읽히고 싶은 마음은 없습니다

그때에는 나의 詩를 읽는 것이 늦은 봄의 꽃수풀에 앉아서 마른 菊花를 비벼서 코에 대는 것과 같을는지 모르겠습니다

밤은 얼마나 되었는지 모르겠습니다
설악산의 무거운 그림자는 엷어갑니다
새벽종을 기다리면서 붓을 던집니다.

(乙丑 八月 二十九日밤끝)

AL LEGANTOJ

Mi, kiel poeto, sentas hontemon aperi antaŭ vi, legantoj.

Kiam vi legos miajn poemojn, mi scias, ke tiam vi tristos pro mi, kaj plue ke vi mem tristos je vi.

Mi ne havas deziron, ke miaj poemoj estu legataj de idaroj de vi, legantoj.

Tiama lego de miaj poemoj povus esti tia, ke oni en malfrua printempo, eksidinte ĉe flora arbusto, eltordinte mane velkan floron de krizantemo, tuŝas tion ĉe sia nazo.

Mi ne scias jam, kiom nokto fluas.

Peza ombro de monto Solaksan[28]* maldikiĝas.

Atendante sonorilon, kiu anoncos frumatenon, mi plumon forĵetas.

-nokte, en la 29a de aŭgusto, 1925

---

28) *monto Solaksan: La monto situas en meza parto de Koreujo, kaj altas je 1708m.

Unu jaron post fino de la traduko

Ekster fenestro de ĉambro de la apartamento, la aŭtuno, malfrua aŭtuno en jaro 2002a, flustras al mi:
"Rigardu flavoran ondon ekster fenestro, kiu prezentas abundan rikolton, kaj ĝuu la pejzaĝon, ke verdaj folioj de arboj jen ruĝetas, jen flavetas."
En ĉambro komputilo flustras al mi:
"Aŭskultu vortojn de poemoj, kiujn vi fintradukis el la originalo.
Sur angulo de tablo la originaj poemoj de la libro <La Silento De La Karulo> flustras en Korea lingvo:
Ĉu mia nova Esperantigita vesto plaĉus al esperantistoj-legantoj?"

En jaro 1925, poeto Han Yong-Un verkis tiun ĉi poemaron <La Silento De La Karulo>, kiun oni eldonis en jaro 1926 en Seulo, fare de Libroeldonejo Hoedongsokŭan. Tiu originalo kun 168 paĝoj montris al ni komencan parton de la aktiva poemverko de la poeto. El liaj poemoj ni, legantoj, ĝuas lirikon per budhanismaj metaforoj kaj altnivelaj simbolaj manieroj. La poeto, pro profundeco de poema ideo kaj pro alto de artista nivelo, fariĝis unu el la plej brilaj poetoj en Korea moderna poemo-literaturo.

La referencaj libroj de <La Silento de La Karulo>

Se iu demandas min: Kial vi tradukis?
Mi respondas, ke la poemaro de poeto Han Yong-Un tre plaĉas al mi. Tio instigis min traduki.
Se iu demandas min plu : Kiu motivo interesis vin?
Mi respondas, ke lia poemo 'LEGINTE POEMON <LA ĜARDENISTO> DE TAGORE donis al mi motivon; ĉar li tie menciis Esperantan vorton ĜARDENISTO en sia poemo.

Karaj legantoj,
bonvole ĝuu korean koron, per kiu koreoj prezentas al sia karulo sian amon;
bonvole ĝuu korean koron, per kiu koreoj prezentas al tiama sia subpremata patrujo sian amon;
bonvole sentu sopiran varman koron el la poemoj de la poeto Han Yong-Un!

Malfrua aŭtuno, en jaro 2002-a, depost kiam jam pasis 77 jaroj post la unua eldono de <La Silento De La Karulo>, atendas la varmon de nove venonta printempo, trans venonta vintro.
Matene, ekster fenestro, ĉe mia korto apartmenta ekburĝonas unika flava rozfloro malgraŭ aŭtuno.
Flava rozfloro kuraĝigas kaj varmigas la koron de tradukinto.

La kovrilan paĝon de mia traduko enkondukas la komento de s-ro Emin Baro, novzelandano, kiu lastatempe dum 4 jaroj loĝis en Koreujo.

Decembro,2003
Pusano, Koreujo
Tradukinto Ĝang(Ombro)

Postskribo:

En la 2015a versio mi verkis kelkajn frazojn por la dua eldono: “Mi opinias, ke la poemaro <<La Silento de la Karulo>> estas unu el vojoj kompreni Korean literaturon.

Karaj legantoj kaj samideanoj,
bonvole ĝuu korean koron, per kiu koreoj prezentas al sia karulo sian amon;
bonvole ĝuu korean koron, per kiu koreoj prezentas al tiama sia subpremata patrujo sian amon;
bonvole sentu sopiran varman koron el la poemoj de la poeto Han Yong-Un!“

Maje, en jaro 2022, Eldonejo Zindale deziris eldoni la originalon kun mia traduko. Pro tio mi kun ĝojo denove staras antaŭ legantoj. Jen ĝuu la originalon kaj donu iom da legemo ankaŭ al traduko Esperantigita.

2022년 역자의 뒷 말

*이 번역 시집 출간까지에는 여러 에스페란티스토의 격려와 성원이 있었습니다. 이분들의 격려가 없었으면, 제 번역이 책의 모습을 갖추기는 어려웠을 겁니다.

우리 협회 기관지 <Lanterno Azia> 기고를 위해 초대해 주신 고(故) 이종영 회장님, 김우선 선생님, 조성호 교수님, 에스페란토 번역본 초판을 거들어 주신 부산지부 전 지부장 배종태 님, 뉴질랜드 에스페란티스토 Emin Baro. 또 시 낭송가이자 애독자 조문주 선생님, 이남행(Feliĉa) 님.

이 번역본 출간을 위해 수고하신 진달래출판사 오태영 대표님께 감사의 말씀을 드립니다.

침묵의 번역 시간을 묵묵히 지켜봐 주신 가족에 대한 고마움도 여기 남깁니다.

2022년 5월 부산 동래 쇠미산 자락에서
역자 장정렬 올림

역자의 번역 작품 목록

-한국어로 번역한 도서

『초급에스페란토』
『가을 속의 봄』
『봄 속의 가을』
『산촌』
『초록의 마음』
『정글의 아들 쿠메와와』
『세계민족시집』
『꼬마 구두장이 흘라피치』
『마르타』
『사랑이 흐르는 곳, 그곳이 나의 조국』
『바벨탑에 도전한 사나이』(공역)
『에로센코 전집(1-3)』

-에스페란토로 번역한 도서

『비밀의 화원』
『벌판 위의 빈집』
『님의 침묵』
『하늘과 바람과 별과 시』
『언니의 폐경』
『미래를 여는 역사』(공역)

-인터넷 자료의 한국어 번역

www.lernu.net의 한국어 번역
www.cursodeesperanto.com,br의 한국어 번역
Pasporto al la Tuta Mondo(학습교재 CD 번역)
https://youtu.be/rOfbbEax5cA (25편의 세계에스페

란토고전 단편소설 소개 강연:2021.09.29. 한국에스페란토협회 초청 특강)

<진달래 출판사 간행 역자 번역 목록>

『파드마, 갠지스 강가의 어린 무용수』
『테무친 대초원의 아들』
『욤보르와 미키의 모험』
『대통령의 방문』
『국제어 에스페란토』
『헝가리 동화 황금 화살』
알기쉽도록 『육조단경』
『크로아티아 전쟁체험기』
『상징주의 화가 호들러의 삶을 뒤쫓아』
『사랑과 죽음의 마지막 다리에 선 유럽 배우 틸라』
『침실에서 들려주는 이야기』
『희생자』
『피어린 땅에서』
『공포의 삼 남매』
『우리 할머니의 동화』
『얌부르그에는 총성이 울리지 않는다』
『청년운동의 전설』
『반려 고양이 플로로』
『푸른 가슴에 희망을』
『민영화 도시 고블린스크』
『메타 스텔라에서 테라를 찾아 항해하다』
『밤은 천천히 흐른다』

세계인과 함께 읽는 님의 침묵
인　쇄 : 2022년 5월 2일 초판 1쇄
발　행 : 2022년 5월 9일 초판 1쇄
지은이 : 한용운
옮긴이 : 장정렬(Ombro)
펴낸이 : 오태영
표지디자인 : 노혜지
출판사 : 진달래
신고 번호 : 제25100-2020-000085호
신고 일자 : 2020.10.29
주　소 : 서울시 구로구 부일로 985, 101호
전　화 : 02-2688-1561
팩　스 : 0504-200-1561
이메일 : 5morning@naver.com
인쇄소 : TECH D & P(마포구)

값 : 13,000원
ISBN : 979-11-91643-(03810)